rowohlts
monographien

HERAUSGEGEBEN

VON

KURT KUSENBERG

—

GEORG CHRISTOPH LICHTENBERG

IN
SELBSTZEUGNISSEN
UND
BILDDOKUMENTEN

—

DARGESTELLT
VON
WOLFGANG PROMIES

ROWOHLT

Dieser Band wurde eigens für «rowohlts monographien» geschrieben
Den Anhang besorgte der Autor
Umschlagentwurf Werner Rebhuhn

Veröffentlicht im Februar 1964
© Rowohlt Taschenbuch Verlag GmbH, Reinbek bei Hamburg, 1964
Alle Rechte dieser Ausgabe, auch die des auszugsweisen Nachdrucks
und der fotomechanischen Wiedergabe, vorbehalten
Gesetzt aus der Linotype-Aldus-Buchschrift und der Palatino (D. Stempel AG)
Gesamtherstellung Clausen & Bosse, Leck/Schleswig
Printed in Germany

INHALT

ANSCHLAGZETTEL IM NAMEN VON LICHTENBERG

> Man wird zu allem geboren, warum
> nicht auch zum Reinmenschlichen? Ge-
> wiß, es gibt geborene Menschen,
> wie es geborene Poeten gibt.
>
> Ernst von Feuchtersleben

Er war, als er 1799 starb, älter, als man meinte. Das hat seinen selt-
samen Grund in ihm selbst. *Lion — Lichtenberg auf dem Papier —
gibt sich wahrscheinlich 2 Jahr geringer an,* merkte er sich zwischendurch in seinen Heften. Nicht ganz ein Jahr nach seinem Tode bat
daher sein Bruder den amtierenden Pfarrer zu Oberramstadt, einer
zwei Stunden südöstlich von Darmstadt gelegenen Ortschaft, um
Jahr und Stunde der Geburt. Und Pfarrer Klein stellte am 16. Januar 1800 richtig fest: Georg Christoph Lichtenberg wurde den 1. Juli
1742 nachmittags um fünf Uhr geboren. Die Geburt fiel übrigens
auf einen Sonntag. Er wäre nicht Lichtenberg, hätte ihm das nicht
zu schreiben Anlaß gegeben: *Ein rechtes Sonntagskind in Einfällen.*
Seinem Kopfe wurde alles leicht zu Spielzeug: Fakten, Realien, Namen. *Ich heiße eigentlich Georgius Christophorus,* schrieb er 1788
einem Freunde, *habe es aber in der Georgik ebenso wenig weit ge-
gebracht als in der Christophorie.* Das gaukelt eine Welt der frohen
Laune und Gesundheit. Aber sein Vater, der Pfarrer Johann Conrad
Lichtenberg, schrieb in das Kirchenbuch: «Söhnlein sogleich wegen
Schwachheit von mir getauft». Die Schwächlichkeit des Leibes ging
weit vor der Witzigkeit seines Kopfes. Danach gingen sie lange über-
ein. Zuletzt ist man versucht, das eine aus dem anderen zu erklären.

Seit früher Jugend litt Lichtenberg unter einer Verkrümmung des
Rückgrats, die sich zum Höcker auswuchs. Die Ursache ist unsicher
und einigermaßen belanglos, ob er von Geburt an darunter litt oder
erst infolge eines Sturzes, den er durch die Unachtsamkeit einer Wär-
terin im achten Lebensjahr tat. Mißgestalt wird er für uns erst in
dem Augenblick, da er sich selbst so beschreibt. Das ist mit sieben-
undzwanzig Jahren und in der dritten Person. *Ihr Körper ist so beschaffen, daß ihn auch ein schlechter Zeichner im Dunkeln besser
zeichnen würde, und stünde es in ihrem Vermögen, ihn zu ändern,
so würde sie manchen Teilen weniger Relief geben.* Das heißt behutsam angespielt, wo Zeitgenossen unverblümt aussprachen, daß
Lichtenberg «ein unansehnlicher Mann, klein, höckericht, krumm an
Füßen, mit einem sehr dicken Kopf», gewesen sei. *Seine eigene Figur
lacht ihn aus,* konstatierte er 1775 selbst. Verlachte Lichtenberg die
eigene Figur? Chodowiecki bat er 1779, bei seinen Illustrationen
für den von Lichtenberg herausgegebenen Kalender, *alle sogenannten Leibes Gebrechen* zu vermeiden, *denn sie könnten sonst leicht
jemand treffen, der mir sehr lieb wäre, oder gar mich selbst ...*

Gefäß mit Lichtenbergs Bildnis. Im Besitz v. Georg Lichtenberg, Detmold

Das Pfarrhaus zu Oberramstadt, wo Lichtenberg geboren wurde

Man mißbilligt heute die Verquickung von Werk und privater Person. Zweifellos führt die Biographie eines Künstlers nicht unbedingt in das Werk ein. Sie verlebendigt seine Umwelt, ist so abgelöst vom Werke lesbar, wie das Werk sich von dem Datum löst, an dem es entstand. Lichtenbergs Biographie dagegen ist, recht verstanden, schon der ganze Lichtenberg: es ist seine Privatperson, die Epoche macht, und nicht dies und das Werk aus seiner Feder. Man ist neuerdings sehr delikat in Dingen, die an das Verhältnis von Körper und Geist rühren. Das achtzehnte Jahrhundert dachte darin rücksichtsloser. Es gebührt ihm offenbar das heikle Verdienst, aus der bemerkten Zwiefalt des Menschen ein System von strikten Abhängigkeiten und Korrespondenzen ausgedacht zu haben. Seine Zeitgenossen sahen in Lichtenbergs Buckel gleichsam die Nötigung, von Natur wegen auf so bizarre Weise geistreich zu sein, wie er es war. Jean Paul, dem ein Freund Lichtenberg als «bucklichten Äsop» geschildert hatte, stellte in der «Unsichtbaren Loge» Lichtenberg neben Pope, Scarron, Aisopos: Bucklige mit reichem Witz! War nicht das äußere Merkmal seiner Humoristen übrigens die körperliche Abnormität, ein Hinkebein Schoppe? Lichtenberg selbst gab jener somatozentrischen Denkweise nach, sonderbare geistige Organisation mit einer Asymmetrie der Leibesgestalt begründend. Er philosophierte über den Vorzug der Kleinen, Gebrechlichen, Verwachsenen vor den *gesundesten und schönsten, regelmäßigst gebauten* Menschen, aber nannte auch die Kränklichkeit innere Verzerrung und klagte seinem Freund Forster, dessen Stil ihn *wie der Gang eines schönen Mädchens* ent-

8

zückte, daß er selbst als Schreibender so gehen müsse, *wie mich leider! Gott geschaffen hat.*

Lichtenberg mußte unter Zwergenwuchs und Buckel leiden, Rationalist, der er war, das ist von jener Generation, die auf den Wohlstand sann und litt, wo er mangelte. Seine Schriften sind und suchen eine lebenslange Erklärung zu jenem Wesen, das halb von Hogarth und eigentlich von Gott ist, namens Mensch. Es wird berichtet, daß er seinen Höcker vor den Leuten, im Hörsaal und anderweitig, zu verbergen trachtete und eine erstaunliche Fertigkeit darin erlangt

Karikatur Lichtenbergs, wahrscheinlich von seinem Kollegen Blumenbach

hatte, mit gestochener Schrift an die Tafel zu malen, ohne dem Auditorium den verwachsenen Rücken zuzukehren. Unbeobachtet von den anderen handelte er genau umgekehrt: *Ich habe*, schrieb er 1777, *schon lange an einer Geschichte meines Geistes, so wohl als elenden Körpers geschrieben und das mit einer Aufrichtigkeit, die vielleicht manchem eine Art von Mitscham erwecken* wird. *Sie soll mit größerer Aufrichtigkeit erzählt* werden, *als vielleicht irgend meiner Leser glauben wird. Es ist dieses ein noch ziemlich unbetretener Weg zur Unsterblichkeit (nur von Kardinal de Retz). Nach meinem Tod wird es der bösen Welt wegen erst herauskommen.*

Kardinal Jean-François-Paul de Gondi, Baron von Retz, der 1613 geborene Gegenspieler Mazarins, dessen «Mémoires» 1717 — lange nach seinem 1679 erfolgten Tode — erschienen, ist der eine Name, den Lichtenberg in Zusammenhang mit seiner eigenen Lebensbeschreibung beschwört, der andere ist: Rousseau. Ihn, eine Generation früher geboren, hat er gleichfalls als Vorgänger nennen müssen. 1782, vier Jahre nach dem Tode Rousseaus, waren dessen «Confessions» erschienen, an denen er 1766 zu schreiben begonnen hatte. Aber 1780 war daraus bereits jene Jugendanekdote von dem Diebstahl des Rosenbandes ruchbar geworden und erregte die Gemüter der Zeitgenossen, ließ sie um Rousseaus willen an der Wahrheit, um des Menschen willen an Rousseau zweifeln. Lichtenberg war der Anlaß willkommen, seinen Standpunkt für sich selbst zu verdeutlichen. Unversehens wird ihm daraus ein die Geschichte der Autobiographie im achtzehnten Jahrhundert anspielender Abriß: von der Pietisten schwelgerischer Selbstbezichtigung um Gott, der moralpsychologischen Selbstkontrolle des frühen Rationalismus zu Rousseau und dem nicht geheuren Monster Mensch:

Es gibt eine Art enthusiastisch-bußfertiger Sünder, die schon in der Erzählung ihrer Missetaten mit Einschiebseln zu büßen anfangen und eine Beruhigung darin finden, sich anzuklagen. Rousseau könnte in diesem Falle gewesen sein; alle Verteidigungen sind zu früh — das muß aus dem Ganzen beurteilt werden. Es ist hiermit als wenn man einer Erfahrung nicht glauben wollte, weil sie einer lang angenommenen Theorie widerspräche. Ein Leben, so wie Rousseau, allem Ansehen nach, das seinige beschrieben hat, muß man nicht nach der moralischen Etikette beurteilen wollen oder aus Leben, die nicht wie das Rousseausche beschrieben sind. So lange wir nicht unser Leben so beschreiben, wie es vor Gott erscheint, kann man nicht richten. Ich bin davon so sehr überzeugt aus dem, was ich von berühmten Männern gesehen habe, daß ich glaube, eine solche Lebensbeschreibung eines großen Mannes, wie ich sie mir denke, würde dem Etiketten-Manne aussehen, als käme uns aus dem Monde. Wir kennen uns nur selbst, oder vielmehr, wir könnten uns kennen, wenn wir wollen, allein die andern kennen wir nur aus der Analogie, wie die Mondbürger. Man sehe nur zwei Leute an, die einander freundlich begegnen, einander mit Frau und Kind besuchen, wenn sie sich überwerfen, was da für Vorwürfe aussprudeln, Anekdoten etc. —

alles das schlief vorher in ihnen, wie das Pulver in der Bombe, und wenn sie sich gegen einander bückten, so bückte es sich mit. So lange wir nicht unser Leben so beschreiben, alle Schwachheiten aufzeichnen, von denen des Ehrgeizes bis zum geheimsten Laster, so werden wir einander nie lieben lernen. Hiervon hoffe ich eine gänzliche Gleichheit. Je härter es wider den Strich geht, desto getreuer muß man gegen sich selbst sein . . . Es ist eine unbegreifliche Mode-Alfanzerei, daß wir den einzigen Gegenstand in der Natur, den wir r e c h t *kennen, ich meine unser moralisches* S e l b s t, *nur nach einem einfältigen philosophischen Polizei-Formular beschreiben, a u f d a ß d e r M e n g e k e i n S c h a d e n g e s c h i e h t . . .*

Das ist in der Tat ein atemberaubendes Manifest. Dennoch hat weder die Geschichte der Psychologie noch die der Ästhetik von Lichtenberg groß Aufhebens gemacht. Es ist vielmehr ein Zeitgenosse, Karl Philipp Moritz, der den ersten deutschen «psychologischen Roman» schrieb und das erste deutsche Organ der Psychologie — unter dem Motto des «Erkenne dich selbst» — begründete. Lichtenberg dagegen ist mit seinem Leben nie zu Rande gekommen, geschweige mit seiner Beschreibung. Einzelbemerkungen an Stelle eines Romans und der Geschichte seiner selbst bescherten ihm endlich vertrackte Unsterblichkeit: sein Nachruhm macht sozusagen die Spannung zwischen jenen in sich vollendeten Fragmenten und einem Mann aus, der sich auf die Dauer immer unzusammenhängender mit sich selbst vorkam und alle ihm verbliebene Kraft zur *Selbsterschaffung und Erhaltung* anwenden mußte.

Weil die Person danach war, ist es wichtig, in ihrer Beschreibung auf das scheinbar Unerhebliche und Nichtige zu sehen. Ein Sandkorn, von Lichtenberg notiert, kann für seine Biographie von der größten Bedeutung sein. Notwendig muß der Biograph Lichtenbergs von dessen kleinen sprachlichen Kunstwerken, die man übereingekommen ist, Aphorismen zu nennen, einen Gebrauch machen, den Lichtenberg selbst von ihnen mehrfach machen wollte: sie als Material benutzen für sein Leben und nicht so sehr als einen Gegenstand der Stilkritik.

> *Unser ganzes Nervensystem von Leib
> und Seele können wir als ein Instrument
> ansehen, welches uns in die Hände ge-
> geben ist, unsern Weg durch dieses Jam-
> mertal geschickt durchzufinden. Erzie-
> hung und andere äußere Umstände ha-
> ben ihm schon eine gewisse Form gege-
> ben, ehe wir es eigentlich zum rechten
> Gebrauch bekommen. Wir finden uns in
> Neigungen und Meinungen mitten in-
> ne, wenn wir sozusagen aus dem tieri-
> schen Leben in das menschliche erwa-
> chen, wenn wir uns umsehen, da finden
> wir uns in einer ganzen Gesellschaft
> von Dingen.*
>
> 1769

Den Anfang macht ein listiges Gerücht: daß Johannes Lichtenberger
zu Mainz, jener zwischen 1450 und 1490 vielgenannte Astronom
und sonderbare Seher, mit dem ahnungsvollen Physiker verwandt
wäre. Die Urkunden sagen davon nichts. Nach ihnen ist Georg Christoph aus einem Geschlecht, das bürgerliches Selbstgefühl besaß,
Kinder mehr als Geld, Wappen und Stammbaum. Zwischen Rhein
und Main und Mosel spielte sich danach der Ahnen Leben ab, mit
dem einen und anderen Grenzübertritt nach Frankreich, nach Holland,
nach Brandenburg. Amtsverweser war Veit Lichtenberger, der 1635
gestorbene Stammvater, Amtsverweser sein ältester Sohn Christoph
Martin, der 1668 starb. Amtsverweser wird, nach einem pikarischen
Lebenslauf, auch dessen jüngstes Kind: der Großvater Georg Chri-
stophs. Er schuf den Namen, den der Enkel sich erst machen sollte.
«Zu Worms war ein Bürger und Küfer, der hieß wie ich Johann
Philipp Lichtenberger, dessen Vater aber ein Jud gewesen und in
Frankfurt getauft worden. Zum Unterschied nun habe ich mich Lich-
tenberg geschrieben und wollte, daß sie sich nun alle so schreiben.»
Seine Kinder sind dem nachgekommen. Er war so eigenmächtig im
Handeln wie eigensinnig im Glauben, dem er schon mit jungen Jah-
ren «durch fleißige Besuchung von Herrn Dr. Speners Collegia und
Predigten» gewonnen wurde. Nach der Weise der Pietisten führt er
ordentlich ein Hausbuch, das halb Familienchronik, halb fromme
Aussprache ist und nicht literarischem Anspruch, sondern seinem
Gott genügen wollte. Man muß die Seelengeschichte bemühen, um in
jener Niederschrift und dem *Hausbuch* des Enkels ursprünglich äh-
nelnde Beweggründe festzustellen. Zuletzt dachte jener an das Jenseits und dieser an seine Nachwelt.

Der 1689 zu Darmstadt geborene Johann Conrad Lichtenberg
war von seinen Eltern früh zum Geistlichen bestimmt worden. Ein
tüchtiger Theologe stieg er nach und nach vom Dorfprediger zur
ersten geistlichen Würde im Lande, nämlich der des Superintendenten

für den Sprengel Darmstadt. Nicht nur theologische und Kanzelgaben zeichneten ihn aus. Liebhaber der Musik und Poesie, schuf er neben Versen für seiner Oberen Geburtsfeste und Leichenbegängnisse Jahrzehnte hindurch den Text für die allsonntäglichen Kantaten in der Darmstädter Hofkirche. Die Musik dazu schrieb übrigens sein Schwager Christoph Graupner (1683—1760), Kuhnau-Schüler und verdienter Darmstädter Hofkapellmeister, der als Komponist von gleich staunenerregender Fruchtbarkeit war wie der Bruder seiner Frau als Dichter und — Architekt. Tatsächlich leitete Johann Conrad Lichtenberg, der Baulust seiner Landesväter Ernst Ludwig und Ludwig VIII. nacheifernd, den Bau zahlreicher Kirchen, Pfarr- und Schulwohnungen und setzte sich mit dem Waisenhaus in Darmstadt, das später Gymnasium wurde, ein stattliches Monument. Sein Sohn erbte nichts von dem Talent.

Wichtiger für seinen Werdegang wurde eine andere Liebe des polytechnischen Pfarrers. Georg Christoph weiß von seinem Vater, den er schon mit neun Jahren verlor, immerhin, daß er für einen Geistlichen seiner Zeit *sehr gute mathematische und physikalische Kenntnisse hatte* und seinen Söhnen täglich Unterricht in der Naturlehre und Mathematik, über die Einrichtung des Weltgebäudes zu erteilen pflegte. Daß er 1744, eines seiner Kinder auf dem Schoß, den größten Kometen des Jahrhunderts betrachtete, wird überliefert, und berichtet, daß er seinen beiden jüngsten Söhnen 1749 einen für jene Zeit beträchtlichen physikalischen Apparat anschaffte. So flößte er den Kindern früh *eine Prädilektion für Physik ein,* so daß Georg Christoph als Primaner *mehr von Astronomie wußte, als jetzt leider! von vielen von Universitäten zurückgebracht wird.* Der Gelehrte nannte später die seligsten Zeiten seines Lebens, als er manche Nächte im Freien zubrachte, um mit Hilfe eines Himmelsglobus in Taschenformat sich von der Bewegung des Himmels einen Begriff zu machen und aus Semlers «Astrognosie» sich in der Kenntnis der Sternbilder zu üben. Da war Astronomie noch nur ein erbauliches Spielzeug für den kindlichen Sterngucker. Aber Lichtenberg bewahrte zeit seines Lebens für den Dilettanten eine Schwäche, für den Vater, der *Naturlehre mit einer Art von Enthusiasmus liebte* und in einer Predigt auf dem Dorf Astronomie mit dem Erfolg auf die Kanzel brachte, daß seine Bauern Deputierte schickten, *ihn zu bitten, er möchte doch bald einmal wieder von den Sternen predigen.*

Auf eine familiäre Weise vollzog in den Lichtenbergs die Aufklärung ihre Bahn: von dem Sternenprediger leichthin zu dem Naturkündiger, wie man während des Jahrhunderts lieber für den Forscher sagte. Sein Beruf hat zwar den Sohn von dem des Vaters entfernt, ihm die Überzeugung von einem weisen, die Welt lenkenden Wesen benommen: ... *notwendige Folge alles Studiums der Philosophie und der Natur. Man verliert zwar den Glauben an einen Gott nicht, aber es ist nicht mehr der hülfreiche Gott unserer Kindheit; es ist ein Wesen, dessen Wege nicht unsere Wege und dessen Gedanken nicht unsere Gedanken sind.* Das Studium der Theologie ist ihm gegen-

Der Vater: Johann Conrad Lichtenberg (1689—1751)

standslos geworden. *Physik ist wahrlich das eigentliche Studium des Menschen. Theologie entbehrt man alsdann leicht... Kenntnis der Natur wird vermutlich auch im Himmel studiert*, schrieb er 1782 einem Freunde. Schon der Knabe dachte frei von der Religion, der Sechzehnjährige konnte sich nicht mehr bereden, *daß Christus Gottes Sohn sei*. Die Herkunft aus dem Pfarrhaus leugnete er darum nicht, suchte keine Ehre darin, *ein Freigeist zu sein*, hat seinen Vater nie verleugnet. Er feierte seinen Todestag, obgleich er, kurios genug, nicht immer zu wissen scheint, daß und ob er am 17. Juli 1751 starb. Es gibt ein Zeugnis von seiner Hand, das unvergleichlich jenen vielfältigen Lichtenberg entdeckt. Es ist die Schilderung eines Gewitters, dessen Studium zu den Obliegenheiten des Naturwissenschaftlers gehörte. Aber der Bericht von dem *fürchterlich schönen Donnerwetter* am 21. Juli 1783 ist anderer Natur, und Lichtenberg selbst, noch voll von diesem Schauspiel, empfindet es so:

Der Tag war erdrückend heiß und ich ganz ungewöhnlich emp-

findlich, außerdem ist dieses der Sterbetag meines Vaters, an dem ich mich gemeiniglich einschließe. Nichts in der Welt konnte mit meiner Empfindung mehr korrespondieren als ein solches Wetter. Als es einmal so tief donnerte, daß ich dachte, es wäre *unter mir*, so kann ich wohl sagen, habe ich niemals meine Nichtigkeit mehr gefühlt als in dem Augenblick. Wahrhaftig es kamen mir Tränen in die Augen bloß der Bewunderung und der innigsten Andacht. Es kann nichts Größeres und Majestätischeres sein. Ich weiß nicht, ich befinde mich jetzt ungewöhnlich leicht, es ist mir, als wenn ich eine große Schuld abgetragen hätte und als wenn sich der Geist meines Vaters freute, daß ich an seinem Sterbetage eine so ungeheuchelte Betstunde gehalten habe. Nun ists heraus und ich gehe nun wieder den gewöhnlichen Schritt* eines sachlichen Beobachters von Naturerscheinungen, eines spaßenden Aufgeklärten auch, der bemerkt, daß die Allmacht Gottes im Gewitter nur bewundert wird *zur Zeit, da keines ist, oder hintendrein beim Abzuge.* Man möchte sagen, der Aufklärer, erwachsen geworden, überläßt sich für die Dauer eines Sterbetages und Gewitters und weislich hinter verschlossenen Türen jener frommen elterlichen Atmosphäre, die das Kind umgab. In solchen Augenblicken, die das Innere einmal nach außen kehren, verkehrt sich das üblich lächelnde Bild des Zeitgenossen, der bloß den Freund einweiht: *Solchen Gedanken nachzuhängen macht, was man auch davon denken mag, da man mich für lustig hält, sicherlich mein größtes Vergnügen aus, obgleich freilich dieses nicht das rechte Wort sein mag, diesen Genuß auszudrücken.* Wo er bei sich geistliche Einkehr hielt, geschah es häufiger über die geistige Heimkehr zu den vortrefflichen Eltern: dem Vater und noch mehr der Mutter.

Man hat kein Bild von ihr, kann sich nach den Worten des Sohnes auch kein Bild von ihr machen, so verklärt steht sie in der Erinnerung. Lichtenberg bekennt, der Gedanke an sie und ihre Tugend sei ihm *gleichsam zum Cordial geworden, das ich immer mit dem besten Erfolg nehme, wenn ich irgend zum Bösen wankend werde.* Henrike Catharine Lichtenberg, eines Pfarrers Eckhard Tochter, verwirklichte offenbar jene Gestalt der Frau, die das bürgerliche achtzehnte Jahrhundert heischte. Ihr Talent war das Haus, der kleine befreundete Zirkel, waren die Kinder. Man liest von ihrem allzeit heiteren, sanften Gemüt, ihrer Neigung zu ausgesuchter Lektüre, Betrachtungen der Natur und stillen Blicken in den gestirnten Himmel, die für sie «Gottesverehrung» waren. Sie starb 1764, zu einer Zeit also, da Lichtenberg *den Verlust fühlen konnte.* In seinem Tagebuch findet sich Jahr für Jahr eine Notiz, die an den Sterbetag der Mutter gemahnt. Sie ist die ewig wiederkehrende Gestalt seiner Träume, zählt zu den Eindrücken längst abgeschiedener Ursachen, die noch in seinem Kopfe leben, wird der Mittelpunkt eines Kultes, der bald die Blasphemie, bald das Archaische zu streifen scheint. Er pflegt den Tag ihres Todes *wie einen Heiligentag* zu begehen und spricht von förmlicher Anbetung seiner *heiligen Mutter*, die ihn ein *verklärter*

Ein Bruder: Ludwig Christian Lichtenberg (1738—1812). Im Besitz von Georg Lichtenberg, Detmold

Engel dünkt. Liebe zu ihr verleitet ihn, für die Verstorbene zu beten, und er deutet sich die Geste selbst als *die Vermenschung, Vermenschlichung alles dessen, wovon wir nichts wissen und nichts wissen können, die man überall antrifft.* Was aber wäre dann jene Invokation der Mutter, die obenhin die Parodie des Vaterunsers ist? Lichtenbergs Gläubigkeit ist so sehr säkularisierter Pietismus, daß sie beinahe schon wie ein ausgeschweiftes Katholisieren anmutet, eigentlich aber der befremdende Ausdruck eines, der nicht nur im Denken und Schreiben, sondern auch in seinem Glauben die *stärkstindividualisierende Ausdrückung* suchte und nicht einsah, warum die Theologen über jenen schreien, der *sein eigner Priester sein will!*

Auch in einer weiteren Qualität teilt die Mutter übrigens das Bild der bürgerlichen Frau jener Epoche: in der exuberanten Mutterschaft. Sie gebar siebzehn Kinder, von denen aber acht tot zur Welt gekommen und vier früh verstorben waren. Da ist fast niemand aus der Familie, der ein gesegnetes Alter erreicht hätte. *Wir sind jetzt Gottlob alle versorgt,* schreibt Lichtenberg 1783, *die mehrsten im Himmel, und die andern auf der Welt so, daß sie mit Recht nicht klagen können.* Von der einzigen überlebenden Schwester, Clara Sophie, weiß man nur, daß sie geboren wurde, 1718, und unvermählt in Darmstadt 1780 starb. Gottlieb Christoph, der älteste unter den am Leben gebliebenen Brüdern, starb schon 1756 zweiunddreißigjährig als Hessen-Darmstädtischer Amtmann in Seeheim. In Lichtenbergs Heften bedeuten er und seine Frau mehr die Ferien, die *angenehmsten Tage meines Lebens,* die er als Knabe dort hat verbringen dürfen. Mit dessen Sohn Friedrich August (1755—1822) jedoch, dem *Vetter aus Rastatt,* der zuletzt als Hessischer Staatsminister zu hohem Ansehen und Adelsprädikat gelangte, stand er später in dem freundschaftlichsten Briefwechsel. Ein anderer Bruder, Friedrich Christian (1734—1790), brachte es zum Geheimen Tribunalrat in Darmstadt. Er ist ein Name mehr in der Legion von aufgeklärten Schriftstellern. Zwischen Georg Christoph und jenem Bruder hält endlich der 1738 geborene Ludwig Christian.

War der Darmstädter ein leichtsinniger Verschwender, so der andere der seltsamste Knauser, ein *Misanthrope,* der denn auch als knöcherner Junggeselle 1812 in Gotha stirbt, zugleich der ordentlichste Mensch von der Welt und pflichtgetreu, kurz: Herzoglich Sachsen-Gothaischer wirklicher geheimer Legationsrat. Ludwig Christian, der bisweilen wie die nur ungeniale Zweitfertigung des Göttinger Bruders wirkt, war auch Übersetzer, Rezensent an dem Nicolaischen Sammelwerk, Mitarbeiter an verschiedenen Periodica der Zeit. Seit 1781 gab er mehrere Jahre hindurch ein «Magazin für das Neueste aus der Physik und Naturgeschichte» heraus; 1786 wurde er korrespondierendes Mitglied der Göttinger Sozietät. Von den Brüdern war Ludwig Christian der einzige, den Lichtenberg nach Verlassen der Heimat noch hin und wieder sah, der wichtigste von allen, weil er, wenn schon nicht in des berühmten Bruders Leben, so doch in sein Nachleben eingriff.

Das ist ein loser Kontakt, der Georg Christoph in Leben und Geist mit den Brüdern verband. Sie geben einen guten Querschnitt durch den bürgerlichen Stand der Zeit: in seinen bemessenen Möglichkeiten aufzusteigen, nützlich zu sein, in engem Maßstab zu wirken, studierte Diener am Kleinstaat, Diener am Geiste der Zeit. *Es könnte gar wohl sein,* hat Lichtenberg einmal notiert, *daß eine gewisse Generation in linea recta ascendente et descendente ein Ganzes ausmachen könnte, das sich teils vervollkommnet teils verschlimmert.* Er dachte dabei nicht an sich; man kann aber die Bemerkung füglich auf ihn und seine Familie wenden. Das Ganze macht dort das Pfarrhaus, machen die vielseitigen Talente des Vaters und die gemüthaften Gaben der Mutter; macht, in dem geräumigen Gebäude der Aufklärung, seiner Brüder tadellose Fähigkeit. Der Jüngstgeborene fügte endlich zu dem Ganzen jener Generation die Vervollkommnung: aber auf einem erschöpften Leib.

Die Erinnerungen zu der eigenen Person im Kindesalter und der Jugendzeit verstehen seinen Lebensgang in einer feinsinnigen Folgerichtigkeit. Danach bestürzt die frühe Fertigkeit des Knaben schon in vielem, was den Mann auszeichnen wird. Es handelt sich dann eigentlich nur noch um Verfeinerung der Werkzeuge. Mit drei Jahren hatte er den Geburtsort verlassen. Davon ist ihm nur die Gartentreppe noch erinnerlich. Er fühlt sich als Darmstädter, in Darmstadt — wohin sein Vater 1745 als Erster Stadtprediger berufen worden war — geboren, da in seinem Vaterland, zu Hause. Darmstadt war seinerzeit ein Ort von etwa neuntausend Einwohnern, Residenz wohl: Protestantismus und Barock ergaben das rationale Element in seiner Bauerscheinung, aber noch ohne die Witterung von den Genies, die Darmstadt unter der Landgräfin Karoline literaturfähig machten. Brav zu stricken lernte Georg Christoph, neben anderem, von den Hauslehrern, schön zu schreiben neben anderem auf der Stadtschule. In den Primus der Schule, einen Schneiderssohn namens Schmidt, verliebt sich der Zehnjährige. Er *hört von ihm gern erzählen und bringt alle Knaben auf eine Unterredung mit ihm, hat ihn nie selbst gesprochen, war ihm aber ein großes Vergnügen zu hören, daß der Knabe von ihm gesprochen habe. Kletterte nach der Schule* auf eine Mauer, um ihn aus der Schule gehen zu sehen. Jetzt, da er sich seiner Physiognomie noch sehr deutlich erinnert, so war er nichts weniger als schön, eine Stumpfnase mit roten Backen. Man scheut sich, in heutige Begriffe zu bringen, was, bei aller verwegenen seelischen Finesse, von einer unschuldigen Anmut ist. Lichtenberg war sich des Ungewöhnlichen der Aussage bewußt. *Es sollte mir leid sein, wenn ich durch dieses freie Bekenntnis das Mißtrauen gegen die Welt vermehren sollte, aber ich war ein Mensch, und das Glück der Welt, wenn sie es jemals erreicht, muß nicht durch Verhehlung gesucht werden, auf keine Weise, so wird nicht Festes entstehen können. Dauerndes Glück ist nur in Aufrichtigkeit zu finden.* Das ist nicht von der Berühmtheit des Jean-Jacquesschen Rosenband-Diebstahls; es ist aber die gleiche Gesinnung, die dazu treibt, frei zu bekennen.

Im Herbst 1752 trat Lichtenberg in die Tertia des Pädagogiums ein, das schon sein Vater besucht hatte. Im gleichen Jahr war Johann Martin Wenck (1704–1761) zum Rektor am *lateinischen Kloster* ernannt worden. Dem Hallenser Pietismus zwar nicht abhold, aber mit Wolff bekannt und vom Philologen Gesner beeinflußt, gab er der Schule ein dem Anspruch der Aufklärung Mitte des Jahrhunderts entsprechendes Format. Sein Verdienst ist es, daß die Schulautoren nun um ihrer selbst willen gelesen, der «heut zu Tage so beliebten teutschen Dichtkunst» weiterer Raum gelassen, die Realien betont und der Unterricht in Mathematik verbessert wurden.

Aus den Schulakten geht Lichtenberg als ein begabter, hin und wieder mit Prämien belobigter Schüler hervor, «der einige Jahre durch Fleiß und Scharfsinn den ersten Platz rühmlich inne hatte». Mehrere Male tritt der Schüler der Selekta, einer den fähigsten Primanern vorbehaltenen Klasse, die als Übergang von der Schule zur Universität gedacht war und in der man außer Philosophie und Theologie besonders die Rede- und Disputierübung pflegte, vor der Öffentlichkeit in lateinischem und deutschem Vortrag als Redner auf. Von seinen Reden sind allein die Titel überliefert: nichtssagend, wo sie vorgeschrieben waren, aber von Aufschluß, wo Lichtenberg selbst sie gewählt hat. Das ist der Fall bei der Darlegung, wie sehr das Studium der Mathematik zur wahren Förderung der menschlichen Erkenntnis beiträgt. Er durfte diesen Stoff bloß scherzender formulieren, und er hatte im Konzept seine erste Veröffentlichung. Das ist der Fall bei einer Lobrede auf Hugo Grotius, der sich Lichtenberg kurz vor seinem Tod entsinnt. Thema seiner Wahl ist endlich ein lateinischer Aufsatz, in dem er *für den Selbstmord disputierte und ihn zu verteidigen suchte*, Gedanken entwickelnd, *die den gemeinen angenommenen in der Welt schnurstracks entgegenliefen.* Aus seinem Tagebuch weiß man selbst Geburtsort und Datum des Gedankens, den er seither nicht mehr abschüttelte: *Den ersten Gedanken, mich selbst zu töten, hatte ich zu Darmstadt in dem Winter 1758,* während er auf einem Tisch im Klassenzimmer stand und *einige Worte überlas, die auf eine schwarze Tafel geschrieben waren, was es war, er-*

Das «Darmstädter Pädagog». Zeichnung von E. A. Schnittsprehn

innere ich mich jetzt nicht, aber ich glaube, es war über die Deklination von domus. Ich schrieb hernach etwas in Verteidigung des
Selbstmordes, das ich unserem Rektor Wenck gab, der meinen Zweifeln gut genug entgegnete.

Es scheint nicht abwegig, jene angestrengte Versenkung in den Tod
mit dem Sterben seines Vaters und ältesten Bruders zu verbinden.
Bei Anlaß zu *sehr konkreten Todesbetrachtungen* wurde noch der
Erwachsene *immer wieder ein Knabe unter solchen Dingen!* Übrigens wird auch ein Schuß Literatur und Zeitstimmung seine winterlichen Gedanken gefördert haben. 1751 war Edward Youngs «The
Complaints, or Night Thoughts» ins Deutsche übertragen worden,
schwerblütige Grübeleien über Leben, Tod, Unsterblichkeit. Ihr Übersetzer Johann Arnold Ebert (1723–1795) war ein Lehrer Lichtenbergs,
der 1761 *halbe Nächte über Ihrem Young saß.* Schließlich fällt aber
diese Neigung zu dem eigenen, die allgemeine Meinung spottenden
Denken zusammen mit den Zweifeln in eine Zeitspanne, während
der die angestrengte Individuation gerade das landläufige Merkmal
ist: nämlich, auf lichtenbergisch, in *die Zeit des ersten Barts!*

19

Es gibt in der Kürze schwerlich eine anmutigere Umschreibung der Pubertät als aus seiner Feder: *Von Anfang war es ein Ding, das gar keine Richtung hatte, und er konnte nichts bemerken, als daß seine gewöhnlichen Begierden nicht so wohl besänftigt als von etwas wenigstens ebenso stark nicht mehr dahin, sondern dorthin gezogen wurden, ein ärgerliches Gleichgewicht, man schüttelt und rüttelt und weiß nicht warum, nur um nicht still zu stehen und wieder etwas anderem Überwicht zu geben, ein seltsamer Zustand, durch den wir Männer alle müssen, und ihr Mädchen, ja das weiß ich nicht. Glücklich ist, der geschwind dadurch kommt oder schon vorher eine klare Einbildungskraft durch eine wohltätige Erziehung erhalten hat, daß dieser süße Tumult in der Seele ihm nichts als schöne Hoffnungen eingibt und ihn über einen bezaubernden Boden endlich zu der schönen Kreatur hinführt und entzückende Gewißheit mit reizender Ungewißheit vertauscht.* Mit Sicherheit hatte Lichtenberg, als er dieses schrieb, schon entzückende Gewißheit erlangt: daher wohl die glückliche Ausgewogenheit. Er schrieb nicht immer so. Die Sinnlichkeit ist der große Faktor in seinem Leben, allerdings bei immer klarer Einbildungskraft: deutlich wohl, nie aber schlüpfrig.

Wo sich der Fortpflanzungstrieb regt, war Lichtenberg der *Trieb zum Bücherschreiben* nicht fern. *Sein erstes Jucken, wenn ich vom ersten Vers der Messiade zu zählen anfange, fiel in das 6te Jahr des deutschen Hexameters und ungefähr in das 14te, wenn ich mit meiner Geburt anfange. Es ist dieses eine etwas kützliche Zeit, und Eltern und Lehrer haben genau acht zu geben auf ihre Kinder... Ich fand die Sprache in unserer Familie etwas zu plan, ich vermißte hier und da die Beiwörter und fühlte mich so voll, wenn ich welche fand, zumal die ich selbst gemacht hatte pp.* Mit vierzehn Jahren also begann jener danach unablässige Versuch Lichtenbergs einer Individualisierung der Person durch die Sprache, die sie sich gibt, sucht, erschafft; so alt wäre demnach der Selbstgenuß, das Selbstgefühl des Wortfinders. 1751 waren die ersten fünf Gesänge des «Messias» erschienen. Gegen 1759 schrieb Lichtenberg in der Schule ein Gedicht in Hexametern, das er *damals für ebenso schön hielt als die Messiade, die ich mir zum Muster genommen hatte, ohnerachtet mein Gedicht nur die Beschreibung eines Küchengartens war...* Schon auf dem Pädagog muß er im Ruf des glücklichen Versfinders gestanden haben, glaubt man einer Anekdote, nach der sich ein minder begabter Klassenkamerad, weil die Verfertigung eines Gedichts aufgegeben war, an Lichtenberg gewandt habe, der auch versprach, das Gedicht für ihn zu machen, wenn sich jener hartnäckig für den Verfasser ausgeben wolle. In einer der folgenden Stunden verlas der Lehrer die eingereichten Gedichte und gelangt auch zu dem von Lichtenberg verfertigten Gedicht, das begann:

Wenn in dem Nichts der Eitelkeiten
Ein Fels umstürmt von allen Seiten —

Überrascht von dem Pathos der Zeilen, fragte der Lehrer den Schüler, dem er so etwas nicht zutraute, ob er das Gedicht gemacht habe. Der beteuerte es. Hierauf las der Lehrer das Gedicht bis zum Ende:

> — auf Schlössern stolzer Fürsten ruht;
> dann wird man um den Staatsmann trauern
> und über den Planeten lauern
> und um des Helden Ochsenblut.

Die anfängliche Bewunderung löste sich in allgemeines Gelächter auf. Noch um 1800 sollen auf dem Pädagog sich Knabenspäße Lichtenbergs in lebendiger Überlieferung fortgepflanzt haben. Der «Musje Schorsch», wie ihn der Diener des Hauses genannt, war seiner Konstitution zum Trotz ein offenbar zu Scherzen wohl aufgelegter Knabe. *Sein Herz ist gut,* läßt er einen Schulfreund von ihm sagen, *aber wer hätte die Streiche hinter ihm suchen sollen, wenn er zu Darmstadt mit seinen Büchern am Adler vorbeiging; doch an den Augen kann man ihm etwas ansehen.* Was wäre Lichtenberg ohne diese Augen, was denn könnte man nicht daraus lesen?

Lichtenberg liebt es in späteren Jahren, *mit geschlossenen Augen auf dem Canapee eine Reise in jene Zeit zurück zu tun.* Wahrhaft Augenblicke gibt ihm die Erinnerung frei, Gesichter von Klassenkameraden, in der typischen Bewegung, kuriosen Handlung eingeprägt für immer: ... *den guten Hach mit dem Pferdehaar, wie der alte Rektor auf ihn und die Brezeln unter dem gespannten Mantel losfuhr, wie Jupiters Vogel auf ein zartes Lamm;* das Gesicht des Klassenzimmers: ... *die zerschnittenen und zerbrannten Tafeln, wo mancher christliche Namen unter einem Galgen paradierte, die äpfelbekleckesten Wände, in denen meine Einbildungskraft Medusenköpfe und Bataillen sah.* Lichtenberg hatte eine leichte Hand und einen flinken Wortschatz, wo es um Verse ging. Seine Eigenwilligkeit ist hierin die Eigenart der Epoche. Aber schöpferisch war seine Einbildungskraft viel mehr in Bildern und im Bilden: *Von meiner ersten Jugend an waren Gesichter und ihre Deutung eine meiner Lieblingsbeschäftigungen. Ich habe mich und andere gezeichnet, ehe ich die geringste Absicht sah. Ich habe nicht einzelne Blätter, sondern Dutzende von Bogen voll Gesichter gekritzelt und ihre Bedeutung nach einem dunklen Gefühl darunter geschrieben; oft mit einzelnen Worten und oft in Zeilen: Ökonomie; noch zur Zeit nicht gehenkt und dergleichen. Sehr früh habe ich mir Dinge unter Bildern gedacht, die sich andere entweder nicht unter diesen Bildern denken oder wenigstens mit dem Bleistift auszudrücken nicht in sich selbst erwacht genug sind. Daß die Distanz von eins bis hundert in unserer Vorstellung größer ist als die von hundert bis fünfhundert, habe ich sehr früh bemerkt und durch Linien und Flächen auszudrücken versucht. Ich habe Bilder von Wochentagen gezeichnet, wozu mir Schulzwang und Schulfreiheit und vermutliche Beschaffenheit der Mittagskost und, wo ich mich selbst verstehe, der Laut des Worts, die Striche her-*

1761: die älteste erhaltene Handschrift Lichtenbergs.
Eintragung in dem Schulbuch «Recueil de poésies» (1754)

gaben. Der Tisch wird noch in D. vorhanden sein, auf den ich, zu
nicht geringem Vergnügen meiner Spielgefährten... das Bild mit
Tinte zeichnete, das ich mir von dem halbfreien, wochehalbierenden
und zwischen Freiheit und Zwang selbst wieder geteilten, wohltäti-
gen Mittewochen machte.

Das zeugt von der wuchernden Einbildungskraft des Jünglings, die
der Erwachsene nicht verlor. Eigentlich Zeichner ist Lichtenberg in
allem. Auch wenn er schreibt, fügt er aus Worten Gedanken, die man
vor ihm nicht darunter verstand. Auch wo er schreibt, sucht er den
charakterisierenden Strich. *Was sind aber unsere Gespräche und unsere Bücher anders, als Beschreibungen von Bildchen auf unserer
Netzhaut oder in unserem Kopf?* Lichtenbergs Einbildungskraft vermochte noch die sprödesten Gegenstände zum Einverständnis zu
bringen. Er heimelte sich alles an, Mittewoche und Geometrie. Er
machte aus baren Zweckdingen nichtgeheure Bezüge oder Spielwerk.

In sich selbst erwacht, obgleich noch nur einem dunklen Gefühl
gehorchend, erscheint Lichtenberg schließlich in dem heimliche Bah-
nen gehenden und durchmessenden Jüngling. Der alte Mann gestand,
es mache allemal einen sonderbaren Eindruck auf ihn, wenn er *einen
großen Gelehrten oder sonst einen wichtigen und gesetzten Mann
sehe, dabei zu denken, daß doch einmal eine Zeit war, da er den
Maikäfern ein Liedchen sang, um sie zum Auffliegen zu ermuntern.*
Bei dem Gelehrten Lichtenberg macht es durchaus nicht den sonderbaren Eindruck. Er hat viel Kindlichkeit in seinem Tun und Lassen
bewahrt. Es gibt allerdings Naivität, die beinah Einfalt ist; aber eine
andere Naivität ist ein Geschenk Gottes und beinah genial. Das ist
die Naivität, die sich übersetzt als Unvoreingenommenheit des Blik-
kes, ein wissendes und immer wißbegieriges Entzücken über die
Dinge. Lichtenberg, der meinte, daß Erwachsene *doch nur Kinder von
mehreren Jahren sind,* vermag sich noch als alternder Mann über
eine Entdeckung Sömmerings *ganz jugendlich, so wie ich zum erstenmal vom Ring des Saturns hörte,* zu freuen, läuft nach Empfang der
Goetheschen Schrift zu den farbigen Schatten 1793 *den bunten Schat-*

22

ten nach wie ehemals *als Knabe den Schmetterlingen*, fühlt bei Herschels Ansichten in den Sternenhimmel das Entzücken wieder, *das ich damals genoß, als ich die ersten richtigen Begriffe von der Einrichtung unseres Weltgebäudes erhielt.* Andererseits übt schon das Kind, wie es Lichtenberg skizziert, seltsam vielsagende Dinge. So erinnert er sich *deutlich, daß ich in meiner ersten Jugend einmal ein Kalb wollte apportieren lernen, allein ob ich gleich merkte, daß ich merklich in den nötigen Fertigkeiten zunahm, so verstanden wir uns einander alle Tage weniger, und ich ließ es endlich ganz und habe es nachher nie wieder versucht.* Diese Eintragung ist ein frühes Exempel für den hartnäckigen Experimentator, so denkt man. Aber Lichtenberg benutzt das Kindheitserlebnis zu einer jähe Bezüge entdeckenden Folgerung, die dem Fakt erst Sinn gibt: *In jedes Menschen Charakter sitzt etwas, das sich nicht brechen läßt — d a s K n o c h e n - g e b ä u d e   d e s   C h a r a k t e r s; und dieses ändern wollen, heißt immer, ein Schaf das Apportieren lehren.*

Es war schon anfangs von jener offenbaren Folgerichtigkeit seines Werdeganges die Rede. Das glücklichste Zeugnis dafür ist wohl jener Beitrag Lichtenbergs zu seiner Heautobiographie, den er selbst für so bedeutend hielt, daß er ihn mit den Worten begann: *Nicht zu vergessen, daß ich einmal die Frage: Was ist das Nordlicht? auf den Graupnerschen Boden mit einer Adresse an einen Engel hinlegte und ganz schüchtern am andern Morgen nach dem Zettel hinschlich. O, wäre da ein Schelm gewesen, der den Zettel beantwortet hätte!* Es war aber weder Schelm noch Engel zu einer Antwort bereit. Etwas aufs Zettelchen ist, nicht nur 1773, seine Bitte an Gott. Inzwischen füllte er es selbst aus, so gut es immer ging. Lichtenberg würde diese Frage wie so viele andere sein Leben lang beschäftigen. Aus Fragen sollte sein geplantes Physikbuch komponiert werden. Eine seiner letzten Eintragungen in dem letzten Sudelheft ist eine *Frage: Was ist leicht, und was ist schwer? Antwort: Solche Fragen zu tun ist l e i c h t; sie zu beantworten ist s c h w e r.* Er hat die Genugtuung, daß er seinerzeit Fragen stellte, die man teils bis heute nicht genügend hat beantworten können! Bisweilen machte er den Versuch einer vorläufigen Klärung, gab er *einen Wink*, wie: er glaube, *daß das Nordlicht durch Elektrizität erklärt werden könne.*

Am 16. September 1761 fand die Schulzeit für Lichtenberg ihr Ende. Auf der Entlassungsfeier hielt er vor einer ansehnlichen Versammlung «in teutschen Versen» die Schlußansprache. Sie handelte *Vom wahren Werte der Wissenschaften und der Dichtkunst.* Die Rede erhielt, nach Schlichtegroll, «allgemeinen und nicht leeren Beifall». Wenn sie ihm Gönner erwarb, dann doch eher auf lange Sicht. Denn anderthalb Jahre brachte er danach noch in Darmstadt zu, ehe er auf die Universität ging. Die Mutter konnte in ihrem «betrübten Witwenstande» nicht die Mittel für einen weiteren Studenten aufbringen: *Über dem Studieren meiner 3 Brüder ist unser ganzes väterliches Vermögen hingegangen, und ich habe davon nichts erhalten ...* gestand Lichtenberg in späteren Jahren. Sicher haben sie als Hinter-

Göttingen. Aquatintablatt von C. Beichling

bliebene des ranghöchsten Geistlichen nicht in Armut gelebt. Aber Lichtenberg berichtet auch, daß die Mutter unverschuldet den Verlust von 1200 Talern erlitt, *eine Summe, welche bei weitem den größten Teil unseres Vermögens ausmachte und einen Riß bedeutete, den wir sogar bis auf unsern allzeit mäßigen Tisch verspürten.* Lichtenberg brachte die Zeit nutzvoll mit seinem besten Jugendfreund Christian Heinrich Zimmermann hin, der, nachmals Superintendent in Darmstadt, für die Literaturgeschichte der Aufklärung einiges Verdienst als Epigrammatiker hat. August 1762 reichte die Mutter ein Gesuch beim Landgrafen Ludwig VIII. ein. Man hat Grund, zu vermuten, daß es nicht allein von Lichtenberg geschrieben, sondern auch entworfen wurde: eine schöne Studie in dem Petitions-Barock der Zeit! Aus dem Brief geht übrigens hervor, daß Lichtenberg sich der Phi-

losophie, «besonders aber
der gemeinen und höheren
Mathematik zu widmen»
beabsichtige. Schon als
Schüler hatte Lichtenberg
einigen Freunden Vorle-
sungen über Kästners «An-
fangsgründe der Mathe-
matik» gehalten. Mathe-
matiker war der kommen-
de Beruf; gute Mathema-
tiker mangelten an der
Universität so gut wie
beim Wasserbau-Vorha-
ben des Landgrafen am
Rhein. Es verwundert dar-
um nicht, daß das Konsi-
storium die Befürwortung
des Gesuchs empfahl, da
«dieses Subjecti große Fähigkeit und gutes Genie
allerdings keinen Zweifel
übrig lasse, es werde derselbe hiernächst in dem
Stande seyn, dem Lande
gute und ersprießliche
Dienste leisten zu kön-
nen». Im April des fol-
genden Jahres wurde dem
Gesuch stattgegeben und
bewilligt: 30 Gulden ein-
maliges Reisegeld und
jährlich 200 Gulden «auf
einige Jahre und solange
er sich auf Universitäten
aufhalten würde». Es spricht immerhin für eine Großzügigkeit des
Landesvaters, daß dem Subjekte nicht untersagt wurde, an einer
«ausländischen» Universität zu studieren. Anfang Mai 1763 verließ
Lichtenberg seine Vaterstadt. Am sechsten Mai traf er in Göttingen
ein. Noch 1793 dachte er der Wiederkehr dieses Tages. Am einund-
zwanzigsten Mai schrieb er sich als *Mathematum et Physices Studio-
sus* ein. Er sah Darmstadt und die Mutter in seinem Leben nicht
wieder.

Seitdem mein Kutscher und mein Schicksal
Mich, Teuerster, aus deinem Blick stahl,
Leb' ich in diesem Vaterstädtchen
Von hoher Weisheit in Traktätchen,
Berühmt in allerlei Bedeutung
Durch Würste, Bibliothek und Zeitung,
Durch Professorn und schlechtes Wetter
Und breite Stein und Wochenblätter!
Du kennst zwar schon aus einem Bändchen
Dies geistliche Schlaraffenländchen.
Liebst du die gare Wahrheit, heißt es,
So öffne hier das Maul des Geistes:
Nur aufgesperrt, mein lieber Sohn,
Das andre gibt sich selber schon.
Hier trieft der Honig der Erkenntnis
Und dort die Sahne vom Verständnis.
Kommt, Jünglinge, die ihr gebessert
Sein wollt, und trinkt sie ungewässert.

So beginnt die zweite Fassung eines burschikosen Spottgedichts von Lichtenberg auf Göttingen und die Georgia Augusta. Wie man sieht, hat der Student Heine nicht viel Neues zu dem Thema nacherzählt. Aber Lichtenberg kam über Anfänge nicht hinaus. Im Mai 1769 begann er die Satire; ein Jahr später war er würdiger Repräsentant der Hohen Schule ...

Auf Göttingen, die durch den Dreißigjährigen Krieg verelendete ehemalige Hansestadt, war 1734 die Wahl Georgs II. — in Personalunion Kurfürst von Hannover und britischer König — gefallen, als er sich entschloß, an Stelle Helmstedts eine eigene Universität zu errichten, an welcher «Sr. Königl. Maj. Unterthanen zu den ordentlichen kirchen- und weltlichen Bedienungen nach Erheischung jetziger Umstände besser als anderswo präpariert werden» könnten. Das war keine hohe Bildungsidee, aber ein dem Zeitgeist naheliegender Gedanke. Seine Professoren verstanden sich vollendet dazu. Pütter, der Vater des deutchen Reichsstaatsrechts, stellte 1765 seiner Geschichte der Göttinger Universität den Satz voran: «Der Hauptzweck einer Universität wird billig darinn gesetzt, zur Ehre Gottes und zum gemeinen Nutzen der Menschen die Aufnahme der Religion und Wissenschaften dadurch zu befördern, daß einem jeden hinlängliche Mittel verschafft werden, seine Ansichten und Sitten vollkommener und für die Kirche und das gemeine Wesen brauchbar zu machen.» Mit der Universität, die am 17. September 1737 offiziell eingeweiht wurde, kamen die Straßenlaternen nach Göttingen: die Beleuchtung für den Leib mit der Aufklärung des Geistes. Georg II. tat ein übriges, gab der Universität seinen Namen und den ersten Rektor in seiner Person. Ihr eigentlicher Schöpfer aber ist der Freiherr Gerlach Adolf von Münchhausen gewesen. Über eine Generation war der Leibniz-Schüler Kurator der Universität. Unter ihm wurde die Georgia Augusta der zu seiner lebendigsten Selbstdarstellung gebrachte deutsche Rationalismus. Toleranz hieß das Prinzip. Atheismus war da so verpönt wie «Enthusiasmus», das ist pietistische Schwärmerei. Die Akademischen Gesetze von 1763 mahnten die aus aller Herren Kleinstaaten kommenden Studenten, «vor allem Anscheine des verbotenen Nationalismi sich zu hüten»! Die Professoren hatten die Freiheit der Lehre und des Druckes. Seit Haller waren hier die Naturwissenschaften zu Hause, seit Mosheim die Geschichtsschreibung, die Philologie seit Gesner, dessen Schüler Heyne war, der *Riese von Tätigkeit*. Hier stand auf deutschem Boden die Wiege der positiven Forschung; alles war hier auf historischen und physikalischen Realismus gestellt; hier arbeitete man die neuen, kritischen und exakten Methoden aus.

Als Lichtenberg nach Göttingen ging, war das wie ein Besuch des nächsten beinah gleichaltrigen Verwandten. Seinen Fachstudien oblag er bei Hollmann, dem *Greis, letzter Band*: er hielt 1734 seine erste Vorlesung über Physik. Albrecht Ludwig Friedrich Meister, der sein Freund wurde, unterwies ihn in praktischer Mathematik zur Bau- und Befestigungskunst. Außerhalb seines Faches hörte er den Vater der Statistik, Achenwall, die Staatengeschichte vortrug, arbeitete er bei Gatterer und in dessen 1764 begründeter «Historischen Akademie», die auf Bereicherung aller historischen Wissenschaften mit besonderer Pflege der Heraldik, Numismatik und Diplomatik gerichtet war. Es ist ein sinnreicher Zufall, daß aus dem sogenannten Nebenfach die erste wissenschaftliche Arbeit Lichtenbergs überliefert wird: eine von drei Seminararbeiten, die er in den Jahren 1765 und 1766 dort verlas und eine Idee auseinandersetzten, *die ich mir damals von einer vollkommenen Schilderung eines Charakters in einer Geschichts-Erzählung machte, mit einer Anwendung auf einige Charaktere des Sallust. Sie enthielten viel Physiognomisches und waren die haupt-*

Eigenhändige Eintragung Lichtenbergs in der Göttinger Studentenmatrikel vom 21. Mai 1763

Gerlach Adolf Freiherr von Münch-hausen (1688—1770). Gemälde von Gottfried Boy, 1747

sächliche Veranlassung, daß nachher, als Herrn Lavaters erster Entwurf im Hannöver-schen Magazin erschien, ein göttingischer Lehrer mich für den Verfasser dieses schön ge-schriebenen Aufsatzes hielt.

Lehrling in mehreren Dis-ziplinen der philosophischen Fakultät, war Lichtenberg doch eigentlich nur eines Mannes Schüler. In einem Rätsel gab er auf: *Er war in Leipzig geboren: der Stolz eines Königs der Briten und das Wunder Deutschlands. Wer ist dies? Auflösung: Un-ter den Toten war es Leibniz, unter den Lebendigen ist es Kästner.* Seit 1756 war dieser in Göttingen Professor für Mathematik und Physik, 1764, nach Tobias Mayers Tod, auch Leiter der Stern-warte, einer der witzigsten Beiträger zur Aufklärungsli-teratur. Er hat die Mathema-tik erst ins Bewußtsein der gebildeten Welt seiner Zeit eingeführt. Seine Lehrbücher fanden außerordentliche Ver-breitung, seine sächsisch spit-zen Epigramme waren ge-fürchtet. Lessing lobte 1755 Kästner als ein wahrhaftes Genie, in dessen Person sich der Ge-lehrte, der Philosoph, der Meßkünstler und der schöne Geist verbän-den. Meßkünstler — ein schönes Wort für Mathematiker — und Schöngeist: in beidem war der junge Lichtenberg sein folgsamer Schü-ler. *Von dem Nutzen, den die Mathematik einem Bel Esprit bringen kann* heißt das erste gedruckte Werkchen Lichtenbergs, das 1766 im «Hannöverschen Magazin» erschien. Es ist eine Übung in eigenem Stil, aber mehr noch eine Variation über ein Thema von Kästner, eine Huldigung an den Lehrer. Ihr Verhältnis ist in der Folge nicht frei von Spannungen geblieben, als aus dem Schüler der, genialere, Kollege geworden war. Ohne Zweifel hat sich aber Kästner des jun-gen Talents löblich angenommen. Auf Lichtenbergs Bitte hin schrieb er 1764 an den Kurator der Universität Gießen, Freiherrn von Riedesel, ein Gutachten, in dem er des Stipendiaten erstaunlichen

Fleiß und seine vorteilhafte Verbindung gründlicher theoretischer Einsichten mit großen praktischen Geschicklichkeiten rühmte und hervorhob, «daß er, außer diesen tiefsinnigen und ernsthaften Beschäftigungen, in den schönen Wissenschaften, den neueren Sprachen, der Dichtkunst viel Geschicklichkeiten besitzt, welches ihn zu einem angenehmen Vortrage solcher Kenntnisse, die sonst sehr trocken scheinen, fähig machen kann, und allezeit für einen Gelehrten ein sehr erwünschter Zierat ist. Ich habe mich desto eher für verbunden gehalten, Ew. Hochfreih. Excellenz diese unparteiische Abschilderung vorzulegen, weil die Geschicklichkeiten dieses jungen Menschen ihm leicht auch außer seinem Vaterlande Hoffnung zu einem anständigen Glücke machen können.» Mit dem letzten Satz war Lichtenberg schon sozusagen designierter Professor an der Universität Göttingen.

In Kästners Gutachten war der Mathematiker Lichtenberg aller Rede wert, den besonderen «Zierat» nicht zu vergessen. Dagegen hoben einheimische und auswärtige Journale hin und wieder den Studenten der Astronomie hervor, den aufmerksamen Himmelsbeobachter, einmal auch den Erdbeobachter. 1767 brachten nämlich die «Göttinger Anzeigen von gelehrten Sachen» den offenbar von Kästner aufgesetzten Bericht über ein Erdbeben, in dem er sich auf die Beobachtungen Lichtenbergs und seines Studienkollegen Erxleben bezog: «In der Nacht zwischen dem 12. und 13. April, etwa 20 Minuten nach 12 Uhr, bemerkte jeder in seiner eigenen Wohnstube, an dem Tische, woran er las, eine Erschütterung: Gläser mit Naturalien in einem Schranke schlugen gegeneinander; Mineralien, die auf dem Tische lagen, rollten durcheinander... Hrn. L. kam es vor, wie die Erschütterung, die ein vorbeifahrender Wagen macht, dergleichen aber nirgends, so wenig als Wind, zu verspüren war.» Das nämlich

Lichtenbergs erster gedruckter Aufsatz, 1766 im «Hannöverschen Magazin»

Von dem Nutzen, den die Mathematik einem Bel Esprit bringen kan.

Ohneracht wir jetzt in so aufgeklärten Zeiten leben, daß niemand icht mehr den Nutzen der Mathematic leugnet, von dem Logiker an, der sonst beschuldigte, sie mache ihre Verehrer zu Zweiflern, da er hätte sagen sollen, zu Leuten, die nicht glauben können, was nicht wahr ist, bis zu dem galanten, allerliebsten leeren Kopf, der, weil er nicht Geld genug hat, seinen Verstand und seine Sitten zu Paris in loco selbst zu verderben, sich

Abraham Gotthelf Kästner (1719 bis 1800). Nach einem Gemälde von Ludwig Specht

war ein Göttinger Phänomen, daß, wie Lichtenberg wesentlich später einem auswärtigen Freunde schrieb, *in unsern hölzernen Häusern die Erdbeben, welche die Wagen und die Bewohner verursachen, so gar sehr empfinlich sind. Ich bin nicht im Stand in meinem Hause ein Glas Wasser stille stehen zu machen.* In der Erdbebennacht also stand er, «sobald er die Erschütterung bemerkt, auf und fand, daß sie noch heftiger worden und endlich die Fensterscheiben mit großem Geräusche zu zittern anfingen. Dieses dauerte ungefähr 6 Sekunden, darauf alles ruhig ward. Hr. E. hat die Dauer etwas länger geschätzt, vielleicht weil er höher wohnt. Er hat dabei nicht die geringste Übelkeit empfunden, dagegen Hr. L. nötig hatte, sich solche durch etwas Wein zu vertreiben...» Der Zierat des jungen Gelehrten läßt sich danach um einen Titel vermehren, den Lichtenberg zeit seines Lebens nicht verlor: das Menschliche, auch das: Allzumenschliche bei dem wissenschaftlichsten Tun! Daß übrigens der Weinkonsum in keinem Verhältnis zur Übelkeit, aber schon damals in schönem Verhältnis zu Lichtenberg stand, geht aus seiner Verseintragung in Erxlebens Stammbuch, eine Woche nach dem Erdbeben, hervor, wo er den Freund andichtet:

Der, wenn die Erde bebt und alle Gläser sinken,
Mich standhaft lehrt, den Wein aus Tassen trinken...

Göttingen war aber nicht nur die modernste, sie war zugleich eine der modischsten Hohen Schulen im Reich. Das erste Gebäude, das 1734 in Betrieb genommen wurde, war die Reitschule, der Stallmeister ein geachtetes Mitglied der Universität. «Hunderttausend Goldlouisdor, die jedes Jahr herbeiströmen, tun gut», hatte Münchhausen erklärt, «und die Regierung ist überzeugt, Samen ausgestreut zu haben, der bei den Söhnen des Landes moralische und von Seiten der Fremden goldene Früchte tragen wird.» Das zielte auf den englischen, hannöverschen Adel, die Junker aus den deutschen Kleinstaaten. Übrigens war die Professorenschaft ausnahmslos vom dritten Stand, teils ausgesprochen kleiner Herkunft: Gatterer der Sohn eines Dragonerunteroffiziers, Heyne der eines armen Chemnitzer Leinewebers. Lichtenberg hat aus seiner Abneigung gegenüber jenem landläufigen Purschen von Adel kein Hehl gemacht. Duelle waren ihm ein Greuel, Verbindungen — Ordensgesellschaften sagte man damals — zuwider. Kestner schilderte er 1766 den *Charakter eines Barons der neulich Göttingen verließ*:

> *Steif, unbesonnen, stolz auf seinen Federhut*
> *Und in der feigen Brust tief-adlig dummes Blut,*
> *Hochmut und Unverstand auf der frisierten Stirne,*
> *Im Beutel selten viel und nichts in dem Gehirne.*

> *Nie still am rechten Ort, gesprächig im Konzert,*
> *Geboren für den Ball und das Philisterpferd*
> *Vernünftigen verhaßt: Das heißt mit wenig Worten,*
> *Er war der würdigste von seinem ganzen Orden.*

Aber war Lichtenbergs Hohn nicht auch ein wenig der des notwendig Abseitsstehenden? Er gehörte zu den nicht minder geläufigen bürgerlichen Hungerleidern auf der deutschen Universität des achtzehnten Jahrhunderts. Zwei Jahre hatte er das Stipendium, drei Jahre hindurch einen Freitisch *und es kostete mich Mühe, durchzukommen. Ich bezahlte freilich alle meine Collegia, aber meine Mutter gab mir auch etwas unterweilen, und ich repetierte anfangs und gab endlich selbst mathematische Stunde und machte Verse auf die Prorektor-Wahlen, korrigierte für die Buchdrucker pp., schrieb Rezensionen.* Im übrigen hinderte allein schon seine Konstitution, wo noch sein Sinn vielleicht nicht abgeneigt gewesen wäre. Es gibt, in Zusammenhang mit jenem Vers auf Göttingen 1768 notiert, da einen merkwürdigen Satz: *O Gott was ist doch der Pursch oder was ist der Mensch. Heute gesund und morgen tot und noch trauriger, von 1 bis 2 bei Kästnern Philosoph und von 8 bis 9 bei Wackern (Gastwirt des damals ersten Gasthofes am Platze) ein Narr. Meine Muse, obgleich in Harlekins Kleidern, wagt sich nicht in diese Zirkel, zufrieden, daß man sie nicht mit einem pereat segnet, auch flieht sie geschwind durch die Gassen, wo der dunkelste Platz zwischen zween Laternen zu vertraulichen Gesprächen Schatten hergibt, sie untersucht nicht wer spricht, denkt, es ist ein Soldat oder ein Handwerksbursche, und legt sich zur Ruhe.*

Das ist ein zur seelischen Ausdeutung verlockendes Stück Prosa: ein von der Gesellschaft abgestoßenes Ich, die maskierte Empfindlichkeit, das Grimassieren Harlekins, Pose und Pein — man glaubt sich in dem Tagebuch eines frühen Romantikers. Zweifellos ist aber Lichtenberg nicht einsam, nicht durchaus unvergnügt gewesen. Die Verewigung in mehreren Stammbüchern sind dafür der heiterste Beweis. Munterkeit und gar Leichtsinn hat er sich selbst als Eigenschaften seiner Seele ins Buch geschrieben. Er hat Freunde besessen, Bekanntschaften geschlossen. Der Wetzlarer Goethe-Freund Johann Christian

Kestner gehört dazu, der Graziendichter Johann Georg Jacobi; Karl Friedrich Hindenburg, der nachmalige Begründer der kombinatorischen Schule und der ersten ausschließlich mathematisch-physikalischen Zeitschrift in Deutschland; Johann Christian Polycarp Erxleben, da noch weniger durch sich selbst als durch seine Mutter merkwürdig — Dorothea Christine, geborene Leporin —, welche die erste Frau in Deutschland war, die den medizinischen Doktorhut getragen hat; schließlich der Schwede Jöns Mattias Ljungberg: Lichtenbergs intimster Freund in jenen Jahren. Er wurde Professor der Philosophie und Mathematik, dänischer Finanzrat am Ende.

Lichtenberg war durchaus nicht ein ungeselliger Mensch. Aber er gab dem Worte Gesellschaft eine eigentümliche Zweideutigkeit und dem Worte Einsamkeit spezifisches Leben. *Der Mensch liebt die Gesellschaft, und sollte es auch nur die von einem Rauchkerzchen sein*, lautet sein oft zitierter Beitrag zu der das Jahrhundert tief bewegenden Debatte, wie und wo und wann der Mensch nur Mensch sei. Er hieß im Vordersatz die Meinung der Epoche gut, um sie im Nachsatz auf sich hin zu bessern. Man kennt von Lessing jene Anekdote, nach der die Freunde, sobald sie einen raschen Schritt auf der Treppe hörten, wußten und sagten: Lessing kommt. Der junge Lichtenberg sagt von sich selbst: *In dem Hause, wo ich wohnte, hatte ich den Klang und die Stimmung jeder Stufe einer alten hölzernen Treppe gelernt und zugleich den Takt, in welchem sie jeder meiner Freunde, der zu mir wollte, schlug, und, ich muß gestehen, ich bebte allemal, wenn sie von einem Paar Füßen in einem mir unbekannten Ton heraufgespielt wurden.* Besser kann der Abstand zwischen beiden, kann die Eigenart Lichtenbergs nicht bedeutet werden. Er ist seiner ganzen Natur nach der empfindliche Lauscher, der geheime Beobachtende; schon in jenen Jahren steht er lieber *hinter dem Fenster, den Kopf zwischen die zwo Hände gestützt, und wenn der Vorübergehende nichts als den melancholischen Kopfhencker (!) sieht, so tut er sich oft das stille Bekenntnis, daß er im Vergnügen wieder ausgeschweift hat*, zur treuen Spielgefährtin die Einbildungskraft. Er ist fähig, acht Tage nicht außer Haus zu gehen. Was er dafür einheimst, ist ein beseligendes Gefühl innerer Freiheit, darüberhinaus das Gewahrwerden von Wohnung und Ding: *Ich habe allezeit von einer Stube größere Begriffe gehabt als der gewöhnliche Teil der Menschen. Ein großer Teil unserer Ideen hängt von ihrer Lage ab, und man kann sie für eine Art von zweitem Körper ansehen.* Bisweilen macht er allerdings den Eindruck, als trage er an zwei Körpern, wie

Das Kollegienhaus in Göttingen. Dort waren die Auditorien,
die Sammlungen und vor allem die Bibliothek untergebracht.
Stich von Joel Paul Kaltenhofer, 1765

er an einer Seele nicht genug hat. Der Stubengelehrte wird durch
ihn ein Mystagog und verteufelt schrullig.

Zu der Stube und dem Licht der Kerze gesellt sich das Schattenbild
des bekanntesten Lichtenberg. Der mit feiner sensibler Schrift in von
ihm angelegte kleine Hefte, in feste Bände später einträgt: Kurioses
und Krauses, Tiefwitziges und Leichtsinniges; vorläufige Satzbauten,
Gedankenschnitzel, Beobachtungssplitter; Entwürfe seiner selbst und
zu der *geheimen Geschichte von Göttingen,* Charakteristiken von
Professoren und Freunden. Lichtenberg hat diese Hefte bis zu seinem
Tod geführt. Sie haben beinah nichts mit Tagebüchern zu tun. Ein
eigentliches Tagebuch hat er nur sporadisch, erst in den letzten Jahren seines Lebens regelmäßiger geschrieben. Man fühlt sich gedrängt,
die Führung solcher Bücher, ja, den Gedanken ihrer Anlage ein Ne-
benprodukt aus dem ökonomischen Geiste des Bürgertums zu nennen. Lichtenberg gebrauchte selbst Begriffe aus der Sprache des
Kaufmanns: *Die Kaufleute haben ihr Waste book (Sudelbuch, Klit-*
terbuch glaube ich im Deutschen), darin tragen sie von Tag zu Tag
alles ein was sie verkaufen und kaufen, alles durcheinander ohne
Ordnung, aus diesem wird es in das Journal getragen, wo alles mehr
systematisch steht, und endlich kommt es in den Leidger at double
entrance nach der italienischen Art, Buch zu halten...Dieses ver-

33

Studentenbude anno 1775. Koloriertes Blatt aus einem Stammbuch

dient von den Gelehrten nachgeahmt zu werden. Erst ein Buch, worin ich alles einschreibe, so wie ich es sehe oder wie es mir meine Gedanken eingeben, alsdann kann dieses wieder in ein anderes getragen werden, wo die Materien mehr abgesondert und geordnet sind,
und der L e i d g e r könnte dann die Verbindung und die daraus flie-
ßende Erläuterung der Sache in einem ordentlichen Ausdruck enthalten.

Alles das hat von vornherein nichts mit Genie zu tun. Es ist im
Gegenteil dem Fleißigen ein Nürnberger Trichter: wie man auf die
Dauer ein Genie werden könnte. Gleich Lessing war auch Lichtenberg
der Meinung, daß selbst der durchschnittliche Kopf wenigstens einmal im Jahr einen genialen Einfall habe. Um diese Sternsekunden
war es zu tun. Darum: *Schmierbuch-Methode bestens zu empfehlen.*

Keine Wendung, keinen Ausdruck unaufgeschrieben zu lassen. Reichtum erwirbt man sich auch durch Ersparung der Pfennigswahrheiten. Lichtenbergs Hinterlassenschaft ist nicht extrem umfangreich; aber offenbar zu seinem Leidwesen: Man soll alle Menschen gewöhnen von Kindheit an in g r o ß e Bücher zu schreiben, alle ihre Exercitia in hartes Schweinsleder gebunden. Da sich kein Gesetz daraus machen läßt, so muß man die Eltern darum bitten, wenigstens bei Kindern, die zum Studieren bestimmt sind, dies zu beobachten. Wenn man jetzt Newtons Schreibbücher hätte!... Man läßt den Körper und die Seele, das punctum saliens der Maschine fortwachsen, und verschweigt und vergißt es... Was für ein Vergnügen würde es mir sein, jetzt meine Schreibbücher alle zu übersehen! Seine eigne Naturgeschichte! Man sieht jetzt immer was man ist und sehr schwach was man war... Ich wüßte nicht, welches angenehmer

Seite aus dem «Sudelheft F» (1778)

und nützlicher wäre, die Bewegung aller Planeten zu kennen oder d i e s e Annalen einiger vorzüglicher Menschen. Die Welt würde dadurch sehr gewinnen.

Man hat Lichtenbergs *Bemerkungen* samt und sonders als Aphorismen bezeichnet. Er selbst gebrauchte diesen Ausdruck nur zweimal in seinem Leben und niemals für seine *Gedankenbücher.* Vermutlich dachte er nicht an ihre Veröffentlichung. Liest man seine Hefte, so erlebt man Werdegänge der Formulierung. Gibt es etwas, das reiner zu dem Lichtenberg paßt als jener doppelte Versuch über den Menschen, der abbricht und den Vermerk erhält: *Mehr verdaut und besser geordnet?* Lichtenberg wußte auch um den Wert dessen, was noch nur ins Unreine geschrieben war: *Man fand in Sternes Nachlaß eine Menge flüchtiger Bemerkungen; sie wurden sogar trivial genannt; aber das waren Einfälle, die ihren Wert erst durch die Stelle erhielten. H i e r w e r d e n F a r b e n g e r i e b e n,* hätte Sterne auf den *Titel seiner Collectaneen setzen müssen,* hätte Lichtenberg auf den Umschlag seiner Sudelbücher schreiben können. Es ist aber errechnet worden, daß nach Abzug alles Unfertigen, Andersartigen, Gleichgültigen noch immer die bemerkenswerte Summe von über 2000 eigentlichen Aphorismen übrigbleibt. Der erste deutsche Aphorist steht würdig und gleichberechtigt in der erlesenen Schar von Aphoristen, unter denen man in Deutschland Schriftsteller versteht wie La Rochefoucauld und Chamfort — die Lichtenberg gelesen und geschätzt hat —, Rivarol, Joubert. Das ist fast immer der gleiche Typus, der solcher Art Satz-Bau treibt: der Einzelgänger, oft körperlich, auch sozial benachteiligt, dem der eigene Mensch voransteht, im wahren Sinn des Wortes: häufig leiten Aphoristen ihre Sammlung durch ein Selbstporträt ein. Wenn der Aphorismus nicht nachgewiesenermaßen eine so alte Geschichte hätte, wäre man versucht, zu sagen, daß er die Erfindung des achtzehnten Jahrhunderts gewesen sei. In einer Epoche, die dem Individuum nicht wohlwill, dem Barock abhold ist, der Einbildungskraft mißtraut, erscheinen Aphorismen als die Möglichkeit, einer strengen Doktrin geistreich zu entweichen: das Irrationalste rationaler Zeitalter, die nach Maßgabe der Epoche subjektivste Aussprache, aber gleichwohl kenntlich als Produkt des Rationalismus, der den Witz für das findige dichterische Vermögen erklärte. In dem Aphoristen wurde die Vernunft seherisch, nicht die Einbildungskraft visionär. Aphorismen sind niemals Urworte. Sie setzen immense Bildung voraus, eine lange Kultur; aber ihre Geschlossenheit und in sich vollkommene Gestalt täuscht darüber hinweg, daß sie eigentlich ein fehlendes System kompensieren: das Unvermögen ihres Schöpfers, sich eines umfassenden Weltbildes noch zu versichern. Daß Lichtenberg zwangsläufig zur Form des Aphorismus fand, betrifft die Geistesgeschichte, bevor es in die Geschichte der Literatur einging.

Im Frühjahr 1767 beendete Lichtenberg sein Studium. Im August des gleichen Jahres wurde er vom hessischen Landgrafen zum 2. Professor der Mathematik und öffentlichen Lehrer der englischen Sprache in Gießen ernannt. Er dankte untertänigst und bat zugleich, sich noch einige Zeit ohne den Genuß einiger Besoldung hier aufhalten zu dürfen. Seit 1767 galt Lichtenberg denn auch in Göttingen als rechtmäßiger Träger des Professortitels. Vor sich selber scheint er erst zwei Jahre später das Gefühl zu haben, nicht mehr Student zu sein, hält man sich an jenes scherzende *Testament eines Studiosi bey seinem Hintritt aus diesem Studenten-Leben*, in dem er äußerte: *Meine Füße wollen den Körper nicht mehr mit der Leichtigkeit tragen, die dem Studenten geziemt, sondern fallen öfters, ohne daß ich es weiß, in den mehr abgemessenen säenden Tritt der höheren Geschäfte*, und dem Freunde Ljungberg, so er will, die Bude, *meinen sehr rechtschaffenen Wirt, mein Barometer und 6 Landkarten, die ich an die Tapete geklebt habe*, vermachte. Aber schon im Juni 1767 hatte es bei ihm einen Wohnungswechsel gegeben, den dritten, seit er Student war. Er war in die Weender Straße zu dem Englischprofessor Tompson gezogen, in die «Englische Niederlassung», wie sie Hardenberg nannte, der ebenfalls dort wohnte und Lichtenbergs Freund wurde. Hier übte Lichtenberg die Tätigkeit eines Hofmeisters und Präzeptors dreier junger Engländer, die in Göttingen studierten: es handelte sich um den Admiralssohn Thomas Swanton, Lord Bostons Sohn Irby, den Baronet Francis Clerke. Sein Amt gab das nötige Geld, aber mehr noch lohnende Beziehungen zu dem Land, dessen Sprache und Denkgeist er längst beherrschte.

Astronomie und Physik war, was ihn in den Jahren privatisierender Gelehrtenexistenz beschäftigte. Den Winter von 1767 auf 1768 hat er *wegelektrisiert*, manche Nacht wegobserviert. Aber bedeutsamer als das von der wissenschaftlichen Welt mit Spannung verfolgte Himmelsereignis, der Durchgang der Venus durch die Sonne am dritten Juni 1769, den er unter Kästners Leitung beobachtete, vielsagender zumindest war die Beobachtung des Durchgangs von Frauenzimmern durch seine Studierstube, beträchtlicher der unbemerkte Durchgang ungezählter Bücher durch sein Gehirn, zahlloser Einfälle und Schreibpläne durch seinen Sinn: *Lesen und Schreiben ist für ihn so nötig als Essen und Trinken, und er hofft, es werde ihm nie an Büchern fehlen.* In jene Jahre vor 1770 fallen wesentliche Stücke zur Heautobiographie, die sein Ich so klar, so distanziert auch zur Sprache bringen, daß er sich selbst wie einem anderen gegenüber stehen, den eigenen wie den *Charakter einer mir bekannten Person* beschreiben kann. Hatten die Jahre 1765 und 1766 schon einmal die sein Leben in Zukunft kennzeichnende widersprüchlich gedrängte Stimmungsintensität ahnen machen — fast zur gleichen Zeit die überschwenglichste Lebenslust und eine durch dreimonatiges Krankenlager geförderte Niedergeschlagenheit, in der er den Tod dachte und in Stammbüchern ausmalte —, so stellte das Jahr 1769 den jungen Egoisten auf eine unerträgliche Zerreißprobe. In verliebter Exaltation rast er *gegen Ende des Februars 1769 da der Saft anfing, in die Bäume zu steigen*. Aber im August des Jahres denkt er mehr als je vorher an Selbstmord, in gewissen Momenten sogar an Selbstverstümmelung! Wie auf der Schule denkt er Reden aus: ... *eines Selbst-*

mörders kurz vor der Tat aufgesetzt oder eines Mannes, der sich selbst kastrieren will. Man hat gleichwohl niemals um sein Leben oder seinen Kopf bangen müssen, so lange der Gedanke an Vernichtung seiner selbst eine, wie er sagte, *geistige Wollust* für ihn war, wohl wissend um die eigentlich bedrohliche *melancholische nachteulenmäßige Betrachtungsliebe*. Er konnte immerhin Verheerendes und Heikles denken: wenn er nur die Worte fand, es auszudrücken. So schrieb er endlich sehr beredt den Widerstreit von Geistigkeit und Geschlecht, Verstand und Einbildungskraft als ein Wesensgesetz seines Ichs nieder, November 1769: *Mein Verstand folgte heute den Gedanken des großen Newton durch das Weltgebäude nach, nicht ohne den Kitzel eines gewissen Stolzes: also bin ich doch auch von den nämlichen Stoff wie jener große Mann, weil mir seine Gedanken nicht unbegreiflich sind und mein Gehirn Fibern hat, die jenen Gedanken kor-*
respondieren, und was Gott durch diesen Mann der Nachwelt zurufen ließ, wird von mir gehört, da es über die Ohren von Millionen unvernommen hinschlüpft. An diesem Ende folge ich der ehrwürdigen Philosophie, während als am anderen Ende zwo Aufwärterinnen (die «Stella mirabilis» und der «Planet») eben diesen Verstand, der sich so über die Erde zu schwingen glaubt, in einem Winkel nicht einmal für wichtig genug halten, allen ihren Witz gegen ihn zu gebrauchen, sondern, ohne ihn erst unter den «focum» desselben zu bringen, schon mit seinem gemeinen Licht schmelzen ... So hänge ich in der Welt zwischen Philosophie und Aufwärterinnenlist, zwischen den geistigsten Aussichten und den sinnlichsten Empfindungen in der Mitte, taumelnd aus jenen in diese, bis ich nach einem kurzen Kampf zur Ruhe meines beiderseitigen Ichs dereinst völlig geteilt hier faule und dort in reines Leben aufdunsten werde. Wir beide, Ich und mein Körper, sind noch nie so sehr zwei gewesen als jetzo, zuweilen erkennen wir einander nicht einmal, dann laufen wir so wider einander, daß wir beide nicht wissen, wo wir sind. Mit dieser Eintragung setzen die Notizen für längere Zeit aus. Erst nach der Rückkehr aus England führte er sie fort.

Die Elektrisiermaschine. Kupferstich von Daniel Chodowiecki, 1768

DER PHYSIKALISCHE YORICK

> *Montags den 10. Dezembris 1770 setzte*
> *ich meinen Wahlspruch «Whim» fest.*

Wie man seinerzeit noch keine Reifezeugnisse bei Abschluß der Studien vergab, bedurfte Lichtenberg in der Philosophischen Fakultät nicht des Diploms, um ein Gelehrter zu heißen. Erst im Dezember 1778 hat die Fakultät ihn ehrenhalber zum Magister artium ernannt. Lichtenberg schrieb sich das Zeugnis seiner Reife selbst und womöglich kundiger: den bei Lebzeiten nicht veröffentlichten Aufsatz *Dienbare Betrachtungen für junge Gelehrte in Deutschland.* Er enthält neben anderem, Ironischem gar die Summe, welche er aus der Lehrzeit auf der Schule und der Universität zog: *Ich heiße eine Seele majorenn, nicht wenn der ihr zugegebene Leib sich dreimal die Woche rasieren läßt, sondern die mit einer bescheidenen Überzeugung, daß sie nun die Welt auch aus ihrem Standpunkt mit ihren Augen sehen und mit ihren Händen greifen könne, im Rat der Menschen über Wahrheit und Irrtum Sitz und Stimme nehmen kann...* Was die Universität ihn lehren konnte, hatte er hastig gelernt. Was nicht auf Universitäten zu lernen war, obgleich es auch dafür Lehrer gab, bemühte er sich nunmehr zu erwerben: die von Reisen erlangte natürliche Wissenschaft. *Bewahre Gott,* notierte er sich Jahre später, *daß der Mensch, dessen Lehrmeisterin die ganze Natur ist, ein Wachsklumpen werden soll, worin ein Professor sein erhabenes Bildnis abdruckt.*

In den Osterferien 1770 brach Lichtenberg, seine Schützlinge zurückzuführen, zur ersten Reise nach England auf. Mitte Mai schon war er in Begleitung zweier neuer Zöglinge nach Göttingen zurückgekehrt: verwirrt, überwältigt von der ungeheuren Stadt London. Diese erste Reise war *für eine so eingezogene Seele* wie die seine, wie die jagende Projektion einzelner faszinierender Bilder gewesen, deren Inhalt er sich kurz notierte: *Ich habe die See, etliche Kriegsschiffe von 74 Kanonen, den König von England in seiner ganzen Herrlichkeit mit der Krone auf dem Haupt im Parlamentshaus, Westminsters Abtei mit den berühmten Gräbern, die Paulskirche, den Lord Mayor in einem großen Aufzug und unter dem Gedränge von vielen Tausenden, die alle huzza, God bless him, Wilkes and Liberty schrien, gesehen, und zwar alles in einer Woche.* Das Tagebuch und die wenigen Briefe sind weniger ein Spiegelbild der Eindrücke, die er in sich aufnahm, als ein Zeugnis seines Unvermögens, mit der Fülle neuer Eindrücke zu Rande zu kommen: *... ich denke überhaupt, wenn man nicht lange hier bleiben kann, wie ich, so ist besser zu gucken als zu schreiben!* Was Lichtenberg hier in bezug auf London, dieses Gleichnis einer Welt, meinte, ließe sich über ihn lebenslang sagen: er konnte beim besten Willen nicht so schnell schreiben, wie er zuschaute.

Es folgte ein akademisches Intermezzo in Göttingen. Am 31. Mai des Jahres war er auf Antrag Münchhausens zum außerordentlichen Professor ernannt worden: der letzte Göttinger Professor, den der greise Kurator noch berief. Lichtenberg verzichtete damit auf das doppelt so hoch dotierte Ordinariat in Gießen, und nahm sogar in Kauf, daß Münchhausen zunächst mit seiner Ernennung beabsichtigte, den in Göttingen studierenden Engländern einen versierten Tutor zu geben, und in zweiter Linie erst der Fakultät einen klugen Mathematiker und Astronomen. Die Universität Gießen hat übrigens das begabte «Sujet» nur unter Protest an das Ausland abgetreten.

Ein die zeitgenössische Forschung bewegendes mathematisches Problem wählte Lichtenberg zum Gegenstand seiner Antrittsvorlesung: *Betrachtungen über einige Methoden, eine gewisse Schwierigkeit in der Berechnung der Wahrscheinlichkeit beym Spiel zu heben.* Lichtenberg begegnete dem sogenannten Petersburger Problem nicht seinerseits mit mathematischer Erörterung, sondern als einziger und erstmalig mit dem Experiment! Praktische Versuche erübrigen in vielen Fällen ausschweifende theoretische Rechthabereien. Die Einleitung seines «Programms» ist sozusagen schon zugleich das programmatische Vorwort zu allem weiteren Tun als späterer Lehrer für Experimentalphysik! Vorlesungen über mathematische Fragen, vor einem zehnköpfigen Auditorium gelesen, astronomische Beobachtungen speziell der Kometenerscheinungen gaben den folgenden Semestern gewisse Kontinuierlichkeit. Da erreichte den jungen Dozenten ein wissenschaftlicher Auftrag, der ihn wiederum auf Reisen schickte. Der an Dingen der Astronomie ungemein interessierte englische König hatte für das Land Hannover Gradmessungen gewünscht. Lichtenberg, der dem König schon bekannt war, wurde mit der Arbeit betraut, die ihn in den Jahren 1772 bis 1773 von Hannover nach Osnabrück und Stade führte. Es ist hier nicht der Raum, auf den astronomischen Reisenden einzugehen: dazu ist der private Lichtenberg auf diesen Reisen zu bezaubernd. Jedenfalls zeichneten sich die Messungen Lichtenbergs, die er unter den größten Schwierigkeiten und fast ganz auf sich allein gestellt vornahm, durch ihre für die Zeit unerhörte Genauigkeit aus, ein wahrhaft wissenschaftliches Vorgehen, das erst durch Gauß im neunzehnten Jahrhundert überboten wurde.

Von diesen Reisen an erfährt man Lichtenberg als jenen *Cäsar im Briefschreiben*,

Betrachtungen

über

einige Methoden,

eine gewisse Schwierigkeit

in der

Berechnung der Wahrscheinlichkeit

beym Spiel zu heben,

von

Georg Christoph Lichtenberg,

Professor der Philosophie,

nebst

einer Anzeige seiner Vorlesungen.

Göttingen, 1772.

der zu sein er sich vor einem Freund 1783 scherzhaft rühmte, denn: ...*wenn ich gleich nicht 3 zugleich diktieren konnte wie dieser, so konnte ich doch 10 hintereinander schreiben.* Man hat die Fülle des von ihm für sich und gute Freunde Geschriebenen und erst nach seinem Tode Gedruckten als präexistente Literatur bezeichnet. Aber das Phänomen Lichtenberg ist, daß wir in ihm zugleich den fertig, den vollendet ausgebildeten Schreibenden zu Gesicht bekommen. Man könnte sagen: Lichtenberg absolviert in seinen Briefen privatim und höchst kurzweilig die Geschichte der Zeitung, von dem Korrespondenten intimer Berichte an intime Freunde zum Feuilletonisten von Beruf, zum Kalendermacher. In jedem Falle kannte er sein Publikum. In Göttingen unter anderem Boie, den wichtigen Literaten, der mit den Gründungen von Zeitschriften ein Forum junger Talente bildete; Dieterich sodann, den von der Regierung nach Göttingen gerufenen Buchhändler und Verleger, der bald Lichtenbergs Freund und, wichtiger, der Verleger seiner Werke wurde. Das wurde eine bis zu Lichtenbergs Tod während fruchtbare Verbindung. Lichtenberg besaß das große Talent, Freunde zu gewinnen. Die Geschichte der Aufklärung ist überhaupt die der Begegnungen: niemals war man so interessiert am Nächsten, so teilnehmend und neugierig. In Hannover fand er einen Zirkel fein gebildeter Regierungsräte und adeliger Honoratioren vor. Auf dem Wege nach Osnabrück, in Bückeburg, stieß er auf Herder. In Osnabrück selbst machte er die bedeutende Bekanntschaft Justus Mösers: ein Vorbild aufgeklärten Denkens, Handelns und Schreibens. Der feine Stilist Sturz war es in Stade, in Hamburg Klopstock, die von sich aus Lichtenberg aufsuchten.

Treffend nannte Grisebach Lichtenbergs Reise-Briefe an Dieterich und dessen Frau ein selbständiges humoristisches Werk. Wie steht es aber mit dem Humoristen selbst? *O Gevatter wenn er sähe wie ich hier sitze und schreibe. Meine beiden Füße unter mein Sybillchen gesteckt, neben mir einen Stuhl, auf dem ich schreibe, wegen Mangel an Raum auf dem Stuhl steht das Dintenfaß auch unter Sybillchen, in der Linken halte ich (da hätte er in einem Haar gelegen:) einen brandheißen gebratenen Apfel an dem ich sauge. Die Rechte oszilliert vom Brief nach dem Dintenfaß und vom Dintenfaß nach dem Brief, und der Kopf (hiermit meine ich mich:) bekümmert sich nicht eine Landbibliothek drum, was sie da macht. Warm sitze ich allemal. Wenn doch die Steinkohlen auch so in Göttingen zu haben wären, ein Steinkohlen-Ofen ist eine wahre Gesellschaft, weil mich das Öfchen warm hält, Geld kostet und ich immer etwas daran zu stirren und zu störren finde, so habe ich eine Art von Freundschaft auf das Ding geworfen und ihm den Namen Sybillchen gegeben. Sieh doch, Sieh doch, was wollte ich gleich sagen und habe es vergessen!* Dieser Brief offenbart die Gebärdung Lichtenbergs in jenen Jahren: wer seine Briefe liest, sieht ihm zu, wie er sie schreibt; seine, bewußte, Stilhaltung: die anheimelnde, kraus assoziierende Plauderei etwa über den Verlust eines Hosenknopfes. Herr Ljungberg, sagt Lichtenberg, könnte einen Brief unter dem Titel veröffentlichen — der eigentlich für alle paßt: ... *geheime und öffentliche Geschichte des Professor Lichtenbergs, enthaltend allerlei Beobachtungen von Menschen, Mädchen, Sternen und Insekten, nebst einer Menge teils artiger teils unartiger Reflexionen und Spindisationen über alle viere, von ihm selbst entworfen.* Es war schon die Rede von dem gleichsam berufsmäßigen Feuilletonisten und seinem Publikum. In der Tat ist hier das Private ein literarisches Etikett, die Fülle des spielend verplauderten Stoffes eine vorbedachte Erwerbung. Man erfährt den absichtsvollen Spaziergänger, der hofft, *etwas zu sehen oder zu denken zu bekommen, das ich in mein Tagebuch tragen könnte* und von da auf das Briefpapier. Beim Betreten eines interessanten Schauplatzes ist das erste, worauf er denkt, *ein schicklicher Platz zum Observieren.* Bisweilen muß der Zweck das Mittel heiligen, entschuldigt seine Laune eine unschickliche Neugier wie in Hannover, wo er durch einen englischen Tubus *in einem entlegenen Haus die Zärtlichkeit eines Kammermädchens und eines Bedienten beobachtet!* Bevor er seine Seefahrt nach Helgoland antritt, weiß er als sicher: *Da wird es Reiseanmerkungen setzen,* und er näht sich vorsorglich ein Buch, *das so dick ist, daß, glaube ich, mein ganzes Leben hinein ginge.* Er sucht das Sehenswerte und findet es. Schau-lustig ist die auf sein Naturell zutreffende Vokabel, redselig die andere. *Heute will ich Sie einmal ein wenig in den Speisesaal der Königin von Dänemark zu Celle gucken lassen,* kündigt er an und schildert den Frauenzimmern seiner

Bekanntschaft die Begegnung mit der hohen Dame, die durch ihre Liebesaffäre mit Struensee eben Geschichte gemacht hat. *Die Königin war ziemlich hoch mit Geschmack frisiert und hatte um den Hals, der übrigens konventionsmäßig bloß war, einen sehr simpeln Schmuck und war ... in blaue Seide gekleidet. Um ihre Arme, die von sündlicher Schönheit sind, hatte sie ebenfalls etwas gebunden. An dem Halsschmuck muß an dem Tage etwas versehen worden sein, denn die eine Hand war öfters bemüht, in jener Gegend etwas zu redressieren, schien aber nichts ausrichten zu können ... Sie lächelte öfters und lachte einmal ganz laut, wobei sie die ganze Tischgesellschaft und auch uns ansah. Wir*

Königin Karoline Mathilde (1751 bis 1775). Miniaturbildnis aus ihrer letzten Lebenszeit

Knechte und Mägde lachten auch mit, ich indem ich mich hinter den Tölpel zurückzog; denn weil ich mich etwas dabei schämte, so war mir das Mädchen zum Schutz nicht groß genug ... Die Königin ist wahrscheinlicherweise, denn stehen habe ich sie nicht gesehen, nicht sehr groß, allein stark von Person. Ihre Gesichtsfarbe ist gesund, meliert, aber doch mehr weiß als rot. Ihre Augen zwar nicht lebhaft, aber durchdringend und verraten Nachdruck, Feuer und Geist. Der Vergleich mit einem Medaillon Karoline Mathildes beweist die Präzision seiner Beobachtung.

Diese Präzision ist es zum einen auch, was ihn von dem durch die Literatur längst vorgebildeten Typus des vazierenden Humoristen, Land und Leute betrachtenden Sonderlings unterscheidet. Unschwer läßt sich Lichtenberg in jene Geschichte einer Gestalt einreihen, die mit Addison Epoche machte, als er den «Spectator» zum Zeitungsberichterstatter bestellte: die deutschen moralischen Wochenschriften sind seine matten Kopien. Inzwischen war mit dem Yorick Sternes eine Figur geschaffen, die begabt war, den deutschen Roman bis Jean Paul hin mit einer Vielzahl weinerlicher Lächler auszustatten. Lichtenberg spielt selber oft genug auf Yorick an; nie aber erinnert er an die sentimentalischen deutschen «Yoricksaffen», wie man sie rief. Er

Die Insel Helgoland

nennt sich selbst den *leichtsinnigen, mutwilligen Lacher*, der voller Teufel und Kobolde steckt. Was ihn von dem Briten vorteilhaft trennt, ist der schärfere Blick, der weitere Horizont; der Physiker führt dem Enthusiasten in ihm stets die Feder. Die Seefahrt nach Helgoland ist ein entzückendes Beispiel. Auf dieser Reise, die übrigens für die Zeit sensationell ist — Lichtenbergs Begeisterung für das Meer, eine frühe Entdeckung der durch Heine erst literaturfähig gemachten Nordsee, war seinerzeit etwas Unerhörtes —, erlebte Lichtenberg das *Leuchten des Seewassers, das ich noch nie gesehen hatte. Es waren nicht etwa einzelne Funken oder schnell vorübergehende schwache Blitze, sondern der Schaum der Wellen schien völlig zu glühen, welches, da dieser Wellen unzählig waren, ein Feuerwerk vorstellte...*

Im Januar 1774 hatte Lichtenberg seine Gradmessungen beendet und dem Kuratorium einen Bericht übergeben. Der Göttinger Sozietät, deren Mitglied er im gleichen Jahr geworden war, las er erst 1776 eine Abhandlung darüber vor, die 1778 in den Novi Commentarii der Universität veröffentlicht wurde. Lichtenbergs Wanderjahre waren aber noch durchaus nicht abgeschlossen. Schon im Herbst 1773 hatte ihn sein großer Wohltäter Lord Boston abermals nach England eingeladen. Was ihn, ungeduldig, noch in Göttingen festhielt, war eine neue Aufgabe, die so ehrenvoll wie langwierig war. Die hannöversche Regierung hatte ihm nämlich den Nachlaß des bedeutenden Göttinger Astronomen Tobias Mayer zur Edition übergeben. Der erste Band mußte gründlich vorbereitet, von Dieterich vorzüglich gedruckt werden, denn er war als Gabe an den englischen König gedacht. Am 29. August 1774 reiste Lichtenberg endlich mit einem Reisezuschuß der Regierung versehen nach England ab und traf Ende September in London ein: nach dem ersten Augenschein ein deutscher Englandreisender wie viele andere vor und nach ihm.

Mit der zweiten Hälfte des siebzehnten Jahrhunderts setzte die aktive Periode der Englandreisen ein. Im Jahre 1697 pries der Tübinger Professor Hochstetter in einer lateinischen Rede ihren Nutzen, und zwar wegen Englands vorbildlicher Wissenschaft und mehr noch wegen seines antirömischen Glaubens. «London ist, was Paris gewesen», konnte 1754 Uz konstatieren. Unter den bedeutenden Besuchern der Insel waren Haller, Hamann, Sturz, Moritz. Was sie suchten, war das Land ihrer bürgerlichen Träume, eine Kunstgesinnung, die der Regelmäßigkeit des französischen Gartens aufgekündigt hatte, eine Menschenauffassung, die dessen Singularität entdeckte. Es gab Reisende, die dort einen religiösen Durchbruch erfuhren, andere, die das zeitgenössische England zum Baedeker ausschrieben. Lichtenberg aber fuhr nach England, um, wie er sagte, deutsch schreiben zu lernen. Wollte man ihn beim Wort nehmen, könnte man sagen, daß er nach den zerstreuten Stilübungen in Norddeutschland, in Hamburg zumal, jetzt zu dem Land in die Lehre ging, das die größte Mannigfaltigkeit der Sujets besaß. Lichtenberg wurde da kaum ein Landschaftsmaler, aber der lebensechte Porträtmaler Englands. Er war zu guter Stunde gekommen. Es war das vorrevolutionäre England, das sich ihm erschloß mit seiner Geistigkeit, seiner ungebändigten, oft an Roheit grenzenden Kraft und den trotz aller staatlichen Selbstsicherheit unverkennbaren Sturmzeichen bevorstehender Umwälzungen in Gesellschaft und Politik. Er war der atemlose Zuhörer einer Oberhaussitzung im Parlament, in der das Für und Wider der Neuenglandstaaten diskutiert wurde: im April 1775 begann der amerikanische Unabhängigkeitskrieg. Er mischte sich unter die Volksmassen, die Wilkes zujubelten, der den Sieg der Demokratie über adeliges Willkürregiment verkörperte. Er war endlich Gast des englischen Königs auf dessen Landsitz Kew, geht in St. James aus und ein. Georg III. re-

Zu S. 46/47: Links: Standuhr. Geschenk Georgs III. an Lichtenberg. Im Besitz von Georg Lichtenberg, Detmold Oben: St. James' Palace und die Mall.
Unten: Georg III. (1738—1820), König von England, mit seiner Familie. Gemälde von Johann Zoffany

gierte beinah zwei Menschenalter diesen Koloß England, den glücklich in die Zukunft, die sich da und dort ankündigte, zu leiten ein größerer Staatsmann erforderlich gewesen wäre. So überdauert er vielmehr als das anständige Vorbild bürgerlichen Lebenswandels: Vater vieler Kinder, fromm, sittsam, den kleinen Zirkel liebend. Lichtenberg fand darin Aufnahme. Er dinierte im engsten Kreis der königlichen Familie, machte Konversation, observierte mit dem König, beredete die Politik des Tages, hörte am Hofe ein Kammerkonzert, das neben anderen von Johann Christian Bach ausgeführt wird. Die Auszeichnung, die ihm durch den König zuteil wird, ist so ungewöhnlich, daß in Göttingen das Gerücht kursiert, Lichtenberg sei der illegitime Sohn Georgs des Zweiten!

Von der Beschaulichkeit des Hoflebens reist Lichtenberg in den Geburtsort der industriellen Revolution: Birmingham. In Boltons System von Manufakturen, *wo täglich 700 Menschen Knöpfe, Uhrketten, Stahlschnallen, Degengefäße, Etuis, alle Arten von Silberarbeiten, Uhren, alle nur ersinnlichen Zieraten aus Silber, Tombak und anderen Kompositionen, Dosen pp. machen,* erlebt er die Anfänge von Rationalisierung und Fließband: *Jeder Arbeiter hat da nur ein ganz kleines Feld vor sich, daß er also gar nicht nötig hat, Stellung und Werkzeuge zu verändern, wodurch eine unglaubliche Menge Zeit gewonnen wird. Jeder Knopf, der z. B. aus Buchsbaum oder Elfenbein oder sonst etwas aufgekittet ist, geht durch wenigstens zehn Hände.* Staunend betrachtet er die neuesten Modelle von Dampfmaschinen und Dampfpumpen, und er begreift, warum die Fabrikerzeugnisse so wohlfeil gekauft werden können. Begegnet er hier der Vision des Maschinenmenschen, so in Bath und Margate dem Abbild des Naturmenschen, der Meerbäder frequentiert, wobei er in Badekarren und Zelt Schwimmbewegungen macht, zu Lichtenbergs großem Vergnügen. Noch in den neunziger Jahren denkt er daran zurück: *Wenn also der ausgekleidete Badegast alsdann die hintere Tür öffnet, so findet er ein sehr schönes dichtes leinenes Zelt, dessen Boden die See ist, in welche die Treppe führt. Man faßt mit beiden Händen das Seil und steigt hinab. Wer untertauchen will, hält den Strick fest und fällt auf ein Knie, wie die Soldaten beim Feuern im ersten Gliede, steigt alsdann wieder herauf, kleidet sich bei der Rückreise wieder an ...*

Handelte es sich hierbei nurmehr um Ausschnitte des Lebens, da und dort unterwegs durch England von Lichtenberg rasch erfaßt, so bot ihm London selbst das Kolossalgemälde rastlos pulsierenden Lebens. Was ihn 1770 noch überwältigt hatte, fordert ihn jetzt zu einer Bewältigung durch die Sprache heraus. Am 10. Januar 1775 stellt er sich — wenn auch um des Bekannten in Göttingen wegen — die genaue Aufgabe, ein Herzstück Londons nach dem Leben zu schildern: Cheapside und Fleet Street abends kurz vor acht Uhr!

Stellen Sie sich eine Straße vor etwa so breit als die Weender (scil. in Göttingen), *aber, wenn ich alles zusammen nehme, wohl auf 6 mal so lang. Auf beiden Seiten hohe Häuser mit Fenstern von*

48

Dampfmaschine in Cornwall. Um 1780

Spiegelglas. Die untern Etagen bestehen aus Boutiquen und scheinen
ganz von Glas zu sein; viele Tausende von Lichtern erleuchten da
Silberläden, Kupferstichläden, Bücherläden, Uhren, Glas, Zinn, Gemälde, Frauenzimmer-Putz und Unputz, Gold, Edelgesteine, Stahl-
Arbeit, Kaffeezimmer und Lottery Offices ohne Ende. Die Straße
läßt, wie zu einem Jubelfeste illuminiert, die Apotheker und Materia-
listen stellen Gläser, worin sich Dieterichs Kammerhusar baden könnte, mit bunten Spiritibus aus und überziehen ganze Quadratruten mit
purpurrotem, gelbem, grünspangrünem und himmelblauem Licht.
Die Zuckerbäcker blenden mit ihren Kronleuchtern die Augen und
kitzeln mit ihren Aufsätzen die Nasen, für weiter keine Mühe und
Kosten, als daß man beide nach ihren Häusern kehrt; da hängen
Festons von spanischen Trauben, mit Ananas abwechselnd, um
Pyramiden von Äpfeln und Orangen, dazwischen schlupfen bewa-
chende und, was den Teufel gar los macht, oft nicht bewachte weiß-

Bilderausstellung in London, 1774

armigte Nymphen mit seidenen Hütchen und seidenen Schlenderchen.
Sie werden von ihren Herrn den Pasteten und Torten weislich zu-
gesellt, um auch den gesättigten Magen lüstern zu machen und dem
armen Geldbeutel seinen zweitletzten Schilling zu rauben, denn Hung-
rige und Reiche zu reizen, wären die Pasteten mit ihrer Atmosphäre
allein hinreichend. Dem ungewöhnten Auge scheint dieses alles ein
Zauber; desto mehr Vorsicht ist nötig, alles gehörig zu betrachten;
denn kaum stehen Sie still, bums! läuft ein Packträger wider Sie an
und ruft By your leave! wenn Sie schon auf der Erde liegen. In
der Mitte der Straße rollt Chaise hinter Chaise, Wagen hinter Wagen und Karrn hinter Karrn. Durch dieses Getöse und das Sumsen
und Geräusch von Tausenden von Zungen und Füßen hören Sie das
Geläute von Kirchtürmen, die Glocken der Postbedienten, die Orgeln,
Geigen, Leiern und Tamburinen englischer Savoyarden und das

Heulen derer, die an den Ecken der Gasse unter freiem Himmel Kaltes und Warmes feilhaben. Dann sehen Sie ein Lustfeuer von Hobelspänen etagenhoch auflodern in einem Kreis von jubilierenden Betteljungen, Matrosen und Spitzbuben. Auf einmal ruft einer, dem man sein Schnupftuch genommen: S t o p , t h i e f ! und alles rennt und drückt und drängt sich, viele, nicht um den Dieb zu haschen, sondern selbst vielleicht eine Uhr oder einen Geldbeutel zu erwischen. Ehe Sie es sich versehen, nimmt Sie ein schönes, niedlich angekleidetes Mädchen bei der Hand: come, My Lord, come along, let us drink a glass together, or I'll go with you if you please. Dann passiert ein Unglück 40 Schritte vor Ihnen; God bless me! rufen einige, poor creature! ein anderer; da stockt's und alle Taschen müssen gewahrt werden, alles scheint Anteil an dem Unglück des Elends zu nehmen, auf einmal lachen alle wieder, weil einer sich aus Versehen in die Gosse gelegt hat; l o o k t h e r e , d a m n m e ! sagt ein Dritter, und dann geht der Zug weiter. Zwischendurch hören Sie vielleicht einmal ein Geschrei von Hunderten auf einmal, als wenn das Feuer auskäme oder ein Haus einfiele oder ein Patriot zum Fenster herausguckte. In Göttingen geht man hin und sieht wenigstens von 40 Schritten her an, was es gibt. Hier ist man (hauptsächlich nachts und in diesem Teile der Stadt, the city) froh, wenn man mit heiler Haut in einem Nebengäßchen den Sturm auswarten kann. Wo es breiter wird, da läuft alles, niemand sieht aus, als wenn er spazieren ginge oder observierte, sondern alles scheint zu einem Sterbenden gerufen. Das ist Cheapside und Fleetstreet an einem Dezemberabend.

Was Lichtenberg hier, dem faszinierenden Tumult der Verkehrsschlagader bewußt mit der Sprache folgend, wiedergab, ist die erste Großstadtschilderung in der deutschen Literatur! Wiederum hat er darin erst mit Heine einen Nachfolger gefunden, der 1828 genau denselben Straßenkomplex beschrieb, und zwar so ähnlich, daß man das Gefühl hat, es habe sich in den 53 Jahren dazwischen kaum etwas am Straßenbild geändert. Von Garrick behauptete Lichtenberg andernorts, er habe die Schule besucht, in welche Shakespeare ging: *London meine ich, wo ein Mann mit solchem Talent zur Beobachtung seinen Erfahrungssätzen in einem Jahre leicht eine Richtigkeit geben kann, wozu kaum in einem Städtchen, wo alles einerlei hofft und fürchtet, einerlei bewundert und einerlei erzählt, und wo sich alles reimt, ein ganzes Leben hinreichend wäre.* Die Weltstadt London demnach als ein realistischer Kunsterzieher. Man hat das Empfinden, als habe Lichtenberg unter anderem in jenem Briefe für sich selbst den Beweis von der Richtigkeit dieses Gedankens erschreiben wollen. Daß das wahre Studium des Menschen der Mensch sei, hat das ganze Jahrhundert gern und oft Pope nachgesprochen. Wirklich nachgekommen ist diesem Wort nur Lichtenberg. Er schließt in sein Studium den menschlichen Abschaum ein, wenn er der Hinrichtung von fünf Verbrechern in Tyburn beiwohnt, bemüht sich schaudernd auch zu der zerrütteten Menschheit in Bedlam, dem berüchtigten Londoner Irrenhaus, das Swift in die Literatur eingeführt hat. Aber er hat zugleich Umgang mit der zeitgenössischen Elite des englischen Geistes. Er nimmt an einer Sitzung der königlichen Sozietät der Wissenschaften teil, besucht das Britische Museum, trifft den berühmten Physiker Priestley, der seinetwegen Versuche vorführt, hört eine Vorlesung von Ferguson. In der Umgebung des Königs hatte er die Bekanntschaft des merkwürdigen Schweizers Deluc gemacht, der Geologe, Meteorologe, ein persönlicher Freund Rousseaus war. Vor allem aber lernt er Mitglieder der Expedition kennen, die unter Cooks Leitung soeben von der Weltreise zurückgekehrt waren. Welche Perspektiven für den in kleinstädtischen Grenzen befangenen deutschen Geist! Man spürt Lichtenbergs Glücksgefühl, wenigstens Augenzeugen dieser Entdeckergroßtat des achtzehnten Jahrhunderts sprechen zu können wie die beiden Forster, den Südsee-Insulaner Omai auch: *Es war mir nicht unangenehm, meine rechte Hand in einer andern zu sehen, die gerade vom entgegengesetzten Ende der Erde kam.* Wir haben in einem Satz den Lichtenberg jener Jahre: im Anschluß an Schilderungen, die der ältere Forster gab, den Lichtenberg übrigens da noch bedeutender fand als den Sohn Georg, fragte er ihn, *ob er wohl glaubte, daß ich eine Reise um die Welt aushalten könnte? Darauf sah er mich an, tat einige Fragen an mich, und dann sagte er: O, w i e n i c h t s! Ich habe den Mann schon lieb bloß deswegen.*

Urteilt man nach dem aus den Briefen der englischen Jahre redenden Lebensgefühl, wird man zu dem gleichen Schluß wie Forster kommen. Niemals vorher und nachher ist Lichtenberg so kühn, so kraftvoll, so geradwüchsig gewesen. Von geringerem Belang sind da seine Alltagsleiden wie Zahnweh, Augenbeschwerden. Man meint Lichtenberg mit der Fülle des Erlebten nur desto belebter werden zu sehen. Was Lichtenberg in England und London insbesondere erlebte, ist eigentlich ein Theater in Permanenz. Er ist der perfekteste Zuschauer und bisweilen auch ein munterer Akteur. Die Straßen, die Räume: Szenen über Szenen. Lichtenberg sagt einmal Ähnliches: *Vorige Woche habe ich 2 Trauerspiele von sehr verschiedener Art an einem Tage angesehen*, eine tödlich endende Straßenschlägerei und ein Stück im Theater. Das ist es: wie London ihm das Gleichnis eines Welttheaters ist, ist das Londoner Theater das realistische Abbild eines vielgesichtigen London. So wird Lichtenberg zu dem eifrigsten Theaterbesucher, der Covent Garden und Drurylane und Haymarket — dort sieht er die unverwüstliche «Beggars Opera» — und Sadler's Wells Theatre besucht und immer wieder Garrick, den größten englischen Schauspieler der Zeit in seinen reifsten Rollen bewundern und

Das Irrenhaus Bedlam. Kupferstich von William Hogarth
(Aus «A Rake's Progress»)

studieren geht: ein Jahr, bevor er sich von der Bühne zurückzog. Lichtenberg hatte das Vergnügen, den Schauspieler persönlich kennenzulernen. Dem deutschen Lesepublikum seiner Zeit vermittelte er aber die Bekanntschaft Garricks in drei *Briefen aus England*, die, an Boie gerichtet, 1776 und 1778 in dessen «Deutschem Museum» erschienen. Der Vergleich mit den Briefen an Freunde, dem Tagebuch zeigt, daß die veröffentlichten Briefe sorgsam gearbeitet, stilisiert worden sind. Um einen Eindruck dessen zu haben, was Lichtenberg bezweckte, genügt seine Wiedergabe der Szene, wo Garrick-Hamlet den Geist erwartet. Am 2. Dezember 1774 hatte Lichtenberg den Schauspieler diese Rolle zum ersten Male spielen sehen. Das Programm klebte er sich in sein Tagebuch: Horatio hat eben Hamlet auf das Erscheinen des Geistes hingewiesen. *Garrick, auf diese Worte, wirft sich plötzlich herum und stürzt in demselben Augenblick zwei bis drei Schritte mit zusammenbrechenden Knieen zurück, sein Hut fällt auf die Erde, die beiden Arme, hauptsächlich der linke, sind fast ausgestreckt, die Hand so hoch als der Kopf, der rechte Arm ist mehr gebogen und die Hand niedriger, die Finger stehen ausein-*

Der Südsee-Insulaner Omai aus Otaheite. Holzschnitt nach einem Gemälde von Joshua Reynolds

ander und der Mund offen, so bleibt er in einem großen aber anständigen Schritt, wie erstarrt, stehen, unterstützt von seinen Freunden, die mit der Erscheinung bekannt sind, und fürchteten, er würde niederfallen; in seiner Miene ist das Entsetzen so ausgedrückt, daß mich, noch ehe er zu sprechen anfing, ein wiederholtes Grausen anwandelte. Die fast fürchterliche Stille der Versammlung, die vor diesem Auftritt vorherging und machte, daß man sich kaum sicher glaubte, trug vermutlich nicht wenig dazu bei. So spricht er endlich, nicht mit dem Anfange, sondern mit dem Ende eines Atemzugs und bebender Stimme: Angels and ministers of grace defend us! Worte, die alles vollenden, was dieser Szene noch fehlen könnte, sie zu einer der größten und schrecklichsten zu machen, deren vielleicht der Schauplatz fähig ist. Die Theater-Briefe fanden den verdienten Beifall. Übersetzt erschienen sie sogar 1776 in Schweden. Sie schufen für das spezielle Gebiet des englischen Theaters eine Norm wie Lessings Dramaturgie. Man hat ihren Einfluß bis in den Hamletpart des «Wilhelm Meister» verfolgen zu können geglaubt. Fest steht, daß Schröder bei seiner ersten Hamletdarstellung durch die Briefe ermutigt wurde und Hamlets Entsetzen nach dem Buchstaben spielte. Heute, da die Darstellungsweise Garricks Theaterhistorie geworden und, wie Lichtenberg sie nachzeichnete, eher Lachen als Schauder erwecken würde – Phänomen der transitorischen Kunst –, bleibt die bewunderungswürdige Kunst Lichtenbergs, das psychologisch feine Beziehungssystem zwischen Publikum und Schauspieler in Worte zu fassen, nicht Shakespeare nur und Garrick, sondern sich selbst in der psychologischen Studie des Menschen finden zu lassen.

Am 7. Dezember 1775 reiste Lichtenberg in Begleitung von drei jungen Engländern aus London ab. Was er aus England heimtrug, waren *zween große Koffer voll Zeug, Kupferstiche, Bücher und Lumpen, englische und deutsche.* Er vergaß zu erwähnen, was ihm in England durch den Kopf und zu Herzen gegangen war: die englische Pädagogik, die zur Selbständigkeit im Denken erzog und nicht wie

David Garrick als Hamlet, der den Geist seines Vaters erblickt. Schabkunstblatt von McArdell, 1754

die deutsche zur Superklugheit abrichtete; die auf Erfahrung sich gründende Philosophie; die Bemerkung, daß nirgends der Mensch so gewürdigt werde wie in England.

Am 31. Dezember 1775 traf Lichtenberg in Göttingen ein.

LICHTENBERGS STERNE

Bemühe dich, nicht unter deiner Zeit zu sein.

Die Rückkehr von der Themse an die *Lein-Gosse* hieß Lichtenberg sich wiederum in einen Ort von, Ende des Jahrhunderts, noch nicht achttausend Seelen finden, nachdem er das Schauspiel einer Stadt gewöhnt worden war, die deren achthunderttausend hatte. Mit Anfang des Jahres 1776 begann seine lebenslange Festsetzung in Göttingen, die immer seltener durch kurze Abstecher — wie noch im Oktober des Jahres zu den Freunden in Hannover — unterbrochen wurde. Verbriefter Bürger der Stadt Göttingen ist er darum nicht geworden. Er brachte es im Leben nicht zum Hausbesitzer. In *Schmahlens Laden*, das ist Dieterichs Residenz, hatte Lichtenberg als einer unter rund vierzig, siebzig gar am Ende, sein ständiges Quartier: wenige Quadratmeter zu dem Leben, der Sammlung physikalischer Geräte, dem Vortrage. Eine Pforte nur trennte den privaten Lichtenberg von dem öffentlichen Lehrer.

Vor der engen Gleichförmigkeit der göttingischen Welt suchte er in jenen Jahren lieber den Kontakt zu anderen als den Rückzug auf sich selbst. 1776 ist es Kästner, der von sich schreibt, daß er hier «ziemlich einsiedlerisch» lebe. Man liest von Kegelpartien, die Lichtenberg besucht und selbst als *Kegel-Wirt* veranstaltet. Man erfährt ihn als Konzertgast und Zuschauer von Kunstreiterkünsten, von Studententheateraufführungen, beispielsweise des «Clavigo» Anfang 1777. Er liebt es, offenbar nach einer Mode der Zeit und Gesellschaft, den Bekannten brieflich Rätsel, die er selbst erfunden, aufzugeben. Sogar an Bällen nimmt Lichtenberg teil, in Heynes und anderer Häusern, läßt sich zu Soupers laden und lädt stolz selber ein, als sein Freund Deluc im Oktober 1776 nach Göttingen kommt. Und *recht vergnügt* begrüßte er in den ersten Novembertagen 1776 die Eröffnung eines kleinen Disputier- und Dinierklubs, zu dem sich allwöchentlich einige Professoren zusammenfanden. Lichtenberg hielt dort Vorträge unter anderem über die beste Form von Stadttoren und trug durch spektakuläre Versuche zur *Ergötzlichkeit* bei. Eines der Mitglieder war der junge Naturforscher Johann Friedrich Blumenbach, Begründer der modernen Anthropologie, der Goethe später als ein «wahrer Repräsentant der großen Gelehrtenanstalt» wert wurde. Lichtenberg verbanden bald enge wissenschaftliche und freundschaftliche Beziehungen mit dem Jüngeren, dem gleich ihm überlegener Geist und joviale Heiterkeit eigen waren.

England aber wurde mehr und mehr zu einer kostbaren Metapher und zurückbleibenden Vergangenheit. Eine späterhin erhoffte dritte *Wallfahrt* kam niemals zustande. Ein zufälliges Gespräch über London wirkt in Zeiten mangelnder Munterkeit heilkräftige Wunder. Was ihn noch leibhaftig mit England verband, waren die ihm zur Obhut anvertrauten *drei Söhne*, deren Zahl bis Ende des Jahres 1776 auf vierzehn anwuchs. Das Aufsichtsamt ist auf Dauer eher lästig als eitel Freude. 1796 klagte Lichtenberg, er habe *die 10 schönsten Jahre meines Lebens mit der Zähmung von Engländern verloren!*, unter denen übrigens ein außerordentlicher Kopf nicht anzutreffen ist. Geldaffären sind zu regeln, Krankheiten zu kurieren; Ausschweifungen einiger seiner Schützlinge machen die Verwendung beim Prorektor erforderlich. Darum fühlt er sich wie neugeboren, wenn er sie einen Tag von sich hat. Zu Pfingsten 1778 sind es sogar ein paar Wochen. Lichtenberg nutzt die Ferien, um mit dem sechsundsechzigjährigen Dieterich eine Reise nach Hamburg zu machen.

Glücklich, lustig sind die Anfangsworte seines ersten Briefes von dort. Was gibt es nicht alles zu sehen: nach den Feiertagen die Ackermann im Theater, am Sonntag in Wandsbek statt des abwesenden Claudius ein Donnerwetter, das unter Lichtenbergs Feder zum burlesken Epos wird, den Besuch einer Predigt Goezes und als Höhepunkt der drei Wochen eine Meerfahrt nach Helgoland hinaus. Seine sechste Reise zur See war zwar des schlechten Wetters wegen vor Helgoland zu Ende, brachte aber dem Enthusiasten Lichtenberg eine der expressivsten Marinen des achtzehnten Jahrhunderts zu Gesicht, die er noch 1786 einem binnländischen Freunde beschwört: *Das Meer schlug hohe Wellen, muschelförmige tiefe Ausschnitte, die leicht 30 bis 40 Fuß in die Länge haben mochten; darauf schwebte unser Schifflein sicher, aber wie ein Strohhalm.* Und während in der Kajüte Leute lagen, die glaubten, es ginge zu Ende, stand der kleine dreiste Professor auf dem Verdeck und hatte sich mit einem Strick an den Hauptmast festgemacht. *Etwas Größeres habe ich nie gesehn. Das Unaufhaltsame im ganzen, die menschliche Verwegenheit und der Geist, der sich hierin zeigt, verbunden mit dem Donner der Wogen, denn es ist ein wahrer Donner, was man aus der Ferne hört, haben mir in Wahrheit Tränen, ich weiß nicht, wie ich sie nennen soll, der Andacht, des Entzückens oder der Demütigung vor dem großen Urheber ausgepreßt.* Es ist der Zauber Lichtenbergs durch sein ganzes Leben, ständig so durchaus in dem zu sein, was er eben lebt und schaut, daß er, ohne Selbstbetrug, jedes neue Schauspiel spontan als das bewegendste der Welt erfährt und preist. Zu mehreren Malen in seinem Leben konstatiert er entzückt, es sei das erste Mal, daß er sehe: ein Gewitter in England, den Stapellauf eines Schiffes, eine Wasserhose, eine Wolkenformation. Und seine Beschreibung macht es auch dem Leser zu dem erstmaligen Anblick. Um so bedauerlicher, daß sein Körper und auch seine Stellung ihm Grenzen setzten: engere von Jahr zu Jahr.

Mit Anfang des Jahres 1776 begann das nie mehr gelöste Dienstverhältnis zu der *Königin der Universitäten*. Noch in England hatte ihn am 30 Juni 1775 die Nachricht von seiner Ernennung zum ordentlichen Professor der Philosophie erreicht. 1776 wurde er ein ordentliches Mitglied der Göttinger Sozietät der Wissenschaften. Zu Ostern hatte er nach jahrelanger Unterbrechung sein Kolleg wieder aufgenommen. Obgleich sein fachliches Interesse mittlerweile von der Mathematik und Astronomie nach der Physik ging, verwies ihn die Rücksichtnahme auf Kästner und den nunmehrigen Kollegen Erxleben noch vorläufig in seinem Kolleg auf physikalische Nebenstunden. Schon Ende Mai 1776 hatte Lichtenberg wieder über seine schwankende Gesundheit geklagt; ein böses Auge war es im Oktober, im November *böses Brennen im Leibe*. Das Grab auf seinen Wangen sah er den 16. April 1777. Seine leidige Unpäßlichkeit hindert ihn am 3. Mai, vor der Sozietät von einer Entdeckung zu berichten, die ihm ein günstiger Zufall, *der Vater so vieler herrlicher Erfindungen*, zu machen erlaubt hatte. Statt seiner verlas Kästner das ihm von Lichtenberg übergebene Promemoria.

Überzeugt, physikalische Versuche insbesondere zur Elektrizität mit großen Apparaten zu machen sei *ebenso viel, als die Erscheinungen, die sie darbieten, unter das Vergrößerungsglas zu bringen,* hatte Lichtenberg die Ausmaße seines, eigentlich voltaschen, Elektrophors, der erst im Frühjahr 1777 fertiggestellt worden war, außerordentlich groß gewählt. Der beim Abhobeln des ersten Kuchens entstandene Staub hatte sich nun im ganzen Raum abgesetzt und flog bei der kleinsten Erschütterung umher. Einmal blieb aus Versehen der Elektrophordeckel längere Zeit abgehoben, der Harzkuchen lag dem Staube also frei, *und da geschah es, daß er sich hier nicht, wie vorher auf dem Deckel, gleichförmig anlegte, sondern an mehren Stellen zu meinem großen Vergnügen kleine Sternchen bildete, die zwar anfangs matt und schlecht zu erkennen waren, als ich aber den Staub mit Fleiß stärker aufstreute, sehr deutlich und schön wurden, und hier und da erhabener Arbeit glichen. Es zeigten sich bisweilen unzählige kleine Sterne, ganze Milchstraßen und größere Sonnen; die Bogen waren von der hohlen Seite matt, von der erhabenen aber mit Strahlen geziert; ferner sehr niedliche kleine Ästchen, denen nicht unähnlich, welche die Kälte an den Fensterscheiben erzeugt; kleine Wolken von mannigfaltiger Gestalt und Schattierung: endlich noch mancherley Figuren von besonderer Gestalt. Dabey war es ein sehr angenehmes Schauspiel für mich, als ich sah, daß sie sich kaum*

Der Göttinger Professor Samuel Christian Hollmann.
Handzeichnung von Lichtenberg. «... wie ich denn
nicht leicht noch ein Menschengesicht gesehen habe, das
bei einer so sehr für das Saure überwiegenden natür-
lichen Anlage so sehr freundlich aussehen konnte...»

zerstören lassen; denn wenn ich auch den Staub mit einer Feder oder
einem Hasenfuß behutsam abwischte, so erzeugten sich doch die-
selben Figuren von neuem, und oft noch schöner als vorher.

Jene kuriosen Figuren halten nunmehr wenigstens den Namen
Lichtenbergs in den Physikbüchern fest; seinerzeit erregten sie in
der Gelehrtenwelt bedeutendes Aufsehen. «Ihre Sterne», schrieb Deluc
an den Entdecker, «werden dereinst noch in der Nacht der Elektrizität leuchten.» Den ersten offiziellen Bericht vor der Sozietät gab
Lichtenberg am 21. Februar 1778; der Kommentar darüber erschien
noch in dem Band für 1777. Der abschließende Bericht — Vortrag und
Kommentar — trägt das Datum des 19. Dezembers 1778. Deluc,
Volta, Cavallo, der 1780 eine Abhandlung über Lichtenbergs elektrische Sterne veröffentlichte, beschäftigten sich ihrerseits mit der
Deutung des Phänomens. In des Abbé Rozier Fachzeitschrift erschien
die französische Übersetzung von Lichtenbergs Aufsatz *De nova
methodo, naturam ac modum fluidi electrici investigandi*. Wenn-

Lichtenbergsche Figuren (oder Sterne). Abgebildet in den
Kommentaren der Göttinger Sozietät der Wissenschaften, 1778

gleich Lichtenberg die Prophezeiung Delucs *mehr witzig vielleicht als
wahr* nannte, dachte er doch, er *tappe an etwas sehr Großem nahe
herum*, machte zuweilen von morgens bis in die Nacht Versuche und
hoffte wenigstens, mit ihnen *einen ganz neuen Weg eröffnet zu
haben, die Beschaffenheit und Bewegung der elektrischen Materie
zu untersuchen.* Seine zuversichtliche Hoffnung ist kennzeichnend für
den wahren Zustand der zeitgenössischen Erkenntnisse auf dem Ge-
biete der Elektrizität.

«Diese Wissenschaft gehört unter die Theile der Naturlehre,
welche erst in den neuern Zeiten bearbeitet und noch nicht lange zu
einem gewissen Grad der Vollkommenheit gebracht wurden.» So beginnt 1783 die von einer Gesellschaft Gelehrter verfaßte «Deutsche
Encyclopädie» den Artikel. Gewiß konnte Lichtenberg in jenen sieb-
ziger Jahren zu dem Phänomen der Perfektibilität nicht nur des
Menschen, sondern seiner Zeit bemerken, daß nun ein Achtzehn-
jähriger die Weisheit ganzer Zeitalter in sich zu fassen vermöge:
Wenn ich den Satz lerne: Die Kraft, die im geriebenen Bernstein

zieht, ist dieselbe, die in den Wolken donnert, welches sehr bald geschehen kann, so habe ich etwas gelernt, dessen Erfindung den Menschen einige tausend Jahre gekostet hat. Mit einer gewissen Berechtigung aber läßt sich sagen, daß die Epoche vielmehr die Elektrizität in der Natur entdeckte als die Natur der Elektrizität. Man wies die Elektrizität der Katzen, Hunde und anderer behaarter Tiere nach. *Bei kleinen Versuchen*, informierte Lichtenberg einen Freund 1780, *bediene ich mich jetzt meiner Katze mit großem Vorteil, ich lege sie auf einen Tisch und reibe sie etwas, alsdann bringe ich den Teller eines kleinen Elektrophors auf sie, dieser gibt oft 3/4 Zoll lange Funken, ich feuere die Elektrische Pistole damit ab, zünde Spiritus vini und lade Flaschen damit.* Man entdeckte den elektrischen Stein aus Ceylon Turmalin, die elektrischen Fische Zitteraal und Zitterfisch, erkannte den Zusammenhang von Gewitterentladung und Elektrizität, die Luftelektrizität überhaupt. Weniger begabt, wenngleich üppig erscheint das Jahrhundert in den Theorien und daraus zu ziehenden praktischen Schlüssen. Aus der Unzahl schälen sich bekanntlich die Theorie Nollets, der den unitarischen Charakter der Materie, die Auffassung, daß nur die positive Elektrizität wirklich vorhanden sei, vertrat, und die Franklinsche Theo-

6) C. Lichtenberg.

Lichtenberg. Silhouette aus Esmarchs Stammbuch, 1777. «Hier schicke
ich Ew. Wohlgeboren meine Silhouette, sie ist mit vieler Sorgfalt gemacht.
Daß man sie nicht gleich erkennt, rührt daher, weil bey meinem
Gesicht das Charakteristische nicht im Umriß des Profils liegt.»
(Lichtenberg an Schernhagen, 15. Februar 1778)

rie, die den Dualismus behauptete. Wichtiger für eine Betrachtung
des Zeitalters ist aber, daß die Entdeckungen, die man oft genug zu-
fällig machte, vor der Theorie gingen und darum so unerhört dünk-
ten, daß der wissenschaftliche Wert einer Entdeckung über dem so

faszinierenden wie schrecklichen Schauspiel, das sie bot, gern von den Zeitgenossen vergessen wurde. Die aufsehenerregenden Phänomene der Elektrizität, die mit Hilfe der Leidener Flasche — eigentlich von Ewald Georg von Kleist 1745 in Cammin erfunden — und mächtiger Reibungsmaschinen gezeigt werden konnten, bleiben so die großen wissenschaftlichen Wunder des Zeitalters.

Lichtenbergs gepriesene Sterne sind eigentlich nichts anderes als ein schöner Fund. Die Zeitgenossen sahen darum doch in Lichtenberg endlich einen Deutschen ebenbürtig neben die großen ausländischen Forscher und Entdecker auf dem Gebiet treten. Man kann den Ertrag der Betrachtungen Lichtenbergs auf das entdeckte Phänomen gering nennen, muß sich aber hüten, sie selbst abschätzig zu beurteilen. Das ganze neunzehnte Jahrhundert ist über den Stand seiner Erkenntnis in keinem Punkt wesentlich hinausgekommen. *Die wunderbare Entstehung dieser negativen Figuren scheint einen wesentlichen Unterschied zwischen der positiven und negativen Elektrizität anzuzeigen*, hatte Lichtenberg als Verdacht ausgesprochen. Was er seinerzeit nur ahnen konnte, wurde erst jetzt bestätigt, nachdem das Elektron und positive Ion entdeckt waren und zur Erklärung dieses Phänomens herangezogen werden konnten. Lichtenberg hatte wenigstens einen passablen Ausweg aus den zu nichts führenden Ansprüchen der Theorien vorgeschlagen. Nicht Unitarier und im Grunde auch nicht Dualist, gebrauchte er in seiner Arbeit nicht mehr die Wörter negativ und positiv, sondern Plus- und Minuszeichen, denn diese konnte man nach zwei Seiten deuten: als ein zu Viel und zu Wenig eines einzigen elektrischen Fluidums oder als die Symbole für zwei Fluida. Lichtenberg hatte mit den Zeitgenossen sich in der Tragweite seiner Entdeckung getäuscht. Lediglich Chladni verdankte Lichtenbergs Anregung seine beiden Hauptentdeckungen, die Klangfiguren von 1787 und die Feuermeteore von 1794, und er nannte ihn geradezu den «Geburtshelfer» seiner Ideen. Es ist immer tragikomisch, daß sich Lichtenberg im Mai 1776 einen Gedanken zur Elektrizität notierte, der, in die Tat umgesetzt, ihn immerhin als Nutzanwender jener befremdlichen Materie berühmt gemacht hätte: eine Vorschau auf die Signalübermittlung vermöge der Elektrizität!

Was bleibt, ist die Ehrlichkeit des wissenschaftlichen Verfahrens, die Lichtenberg da zum erstenmal ausgiebig übte, ist seine ehrliche Freude an dem Schauspiel dieser Sterne, ist sein unbändiger Spieltrieb. Die Enzyklopädie widmete eine ganze Passage den vermittels der Elektrizität ersonnenen Spielwerken. Lichtenberg gab selbst einen hübschen Hinweis, wie seine Entdeckung zu gebrauchen: *Kästners Namen, nämlich nur das K mit einem Kranz durch Elektrizität geschrieben, habe ich ihm hinter Glas in einem goldenen Rahmen geschenkt, er war ganz außer sich darüber!*

Mit seinen Untersuchungen über die elektrischen Figuren begab sich Lichtenberg auf das Gebiet der Experimentalphysik als Forscher; bald danach als Dozent. Wieder kam ein Zufall ihm dabei zu Hilfe. Am 19. August 1777 war der Göttinger Ordinarius für «Physik,

Chemie und Naturgeschichte der sogenannten Reiche», sein Freund Erxleben, gestorben. Kästner hatte anfangs dessen Hauptkolleg übernommen, ließ es aber schon für das Sommersemester 1778 zu, daß Lichtenberg über ausgewählte Lehren der Physik öffentlich zweistündig las. Im Sommer 1780 wurde daraus ein vierstündiges Kolleg und mit dem Winter 1781 übernahm Lichtenberg ganz die Nachfolge Erxlebens in Physik an Kästners Statt. Er hat darum doch seine ehemaligen Interessengebiete nie ganz aufgegeben. Pütter meldet 1788 in seiner Universitätsgeschichte, daß Lichtenberg in seinen Lehrstunden alle halbe Jahre die Experimentalphysik vortrage, außerdem aber Astronomie, mathematische Geographie, Theorie der Erde und Meteorologie; daneben in unbestimmten Stunden bald reine Mathematik, bald Algebra. Das ist getreu nach der Lichtenbergschen Maxime, daß, wer nichts als Chemie versteht, auch die nicht verstehe. Dem Fortschritt der Astronomie leiht er ein waches Auge und bisweilen seine Feder. Er ist einer der begeistertsten Zuschauer von Herschels unerhörten Entdeckungen am Sternenhimmel, stolz, einer der ersten in Deutschland gewesen zu sein, der den 1781 von Herschel entdeckten Planeten Uranus beobachtete. Schließlich sorgte die zunächst noch nur schriftliche Verbindung mit Herschel selbst dafür, daß Lichtenberg mit neuen, gleichsam dessen Teleskops Augen den gestirnten Himmel anzusehen lernte. So wenig wie die Astronomie vernachlässigte Lichtenberg auch die Mathematik. Nachdem er einundzwanzigmal Experimentalphysik gelesen, ist es ihm, wie er 1788 Heyne schrieb, *ein wahres Kurtrinken*, vor acht Hörern eine Stunde reine Mathematik zu geben und *bloß mit dem Compendio in der Hand in der Hörsaal zu gehen*.

Bewußt aber hielt er sein Kolleg über Experimentalphysik von Mathematik frei. Kästner, der schon bei Lichtenbergs Ankündigung, daß er öffentlich Physik zu lesen beabsichtige, sein Einverständnis mit dem Vorbehalte gab, eine unmathematische Physik dürfe in Göttingen nicht aufkommen, hat es ihm noch in der Totenrede verargt und gemeint, Lichtenberg habe «beim Unterricht in der Physik vielen, welche kamen, um Experimente zu sehen», nachgegeben: «wegen der Härte ihres Kopfs». Über diesen Punkt gibt es keine Diskussion. Lichtenberg bezweifelt, ob *unter der sogenannten studierenden Jugend die Summe leerer Köpfe je größer gewesen ist als jetzt* und verheimlicht seinen Freunden nicht: ... *wenn ich nur 10 Minuten rechne oder geometrisiere, so schläft 3/4 derselben sanft ein.* Scheinbar in Übereinstimmung damit hört man von ehemaligen Schülern, Lichtenbergs Vortrag sei nicht für Anfänger, sondern vielmehr für den, der schon einen guten Grund in der Physik gelegt hat.

Um der Exaktheit seiner Versuche willen bestellte Lichtenberg die neuesten Geräte bei den Besten jenes neumodischen Berufes, der im Zeitalter der Erfahrungswissenschaften — dem Rokoko — zu raschem

England, 1753: Versuch, Pflanzen und Tiere durch Elektrisieren im Wachstum zu beeinflussen. Die Pflanzen gediehen, die Katze nahm ab.

Ruhm gelangt war: der Beruf des
Mechanikers. Das Vaterland Bacons
war auf diesem Gebiet lange Zeit
führend. James Watt, den Lichtenberg genialer als Priestley nannte,
war anfangs Feinmechaniker. Bei
dem berühmten Engländer Nairne
verschrieb sich Lichtenberg für 420
Taler — mehr als sein Jahresgehalt
betrug — eine Luftpumpe: die erste in ganz Deutschland. Aber es
gab bald auch versierte deutsche
«Mechanici», deren Beruf ein Lehr-
amt an der Universität wurde. Am
bedeutendsten war jener Philipp
Matthäus Hahn: Pietist und zugleich
ein begnadetes mechanisches Genie.
Für Lichtenberg selbst wurde ein
Mann bedeutend, den er zuerst zur
Mechanik gebracht hat: Klindworth,
ein ehemaliger Uhrmacher, Kolleg-
hörer, danach Lichtenbergs Assi-
stent, der alle die Experimente
macht, die *einige Anstrengung des
Körpers erfodern* ... Lichtenberg
pries ihn als denjenigen deutschen
Handwerker, der den Vergleich mit
den Engländern nicht zu scheuen
brauchte. Lediglich durch Verbesse-
rungen von Apparaten, durch Neu-
bauten auch hat sich Lichtenberg
schon in der zeitgenössischen Geschichte der Naturwissenschaft einen bedeutenden Namen gemacht:
die Spalten der «Deutschen Encyclopädie» bezeugen es wiederholt.

Dabei ist auch hier vor den Apparaturen Lichtenbergs hübsche-
stes Merkmal das Private und Anheimelnde. Er lebte in seinen Geräten: das heißt, sie teilten seine Wohnung. Der einen Ofen Sy
billchen nannte, ist von Sinnen, als ein Apparat beschädigt ankomm
und hebt ihn aus der Kiste, *wie ein Vater sein ertrunkenes Kind au.
dem Bach.* Eine natürliche Neigung zur Sorgfalt sowie eine offenba
musische Gabe, auf der mechanischen Klaviatur die schwierig
sten Versuche zu spielen, gaben ihm den Rang vor den Fachkollegei
seiner Zeit. Die Begegnung mit Volta im Jahre 1784 berichtet davon
Wie man weiß, gehören Voltas Hauptentdeckungen dem neunzehn
ten Jahrhundert an. Als er Lichtenberg besuchte, war er der ge
rühmte Konstrukteur eines Elektrophors, eines Elektroskops un•

Experiment mit einem Vogel in der Luftpumpe.
Gemälde von Joseph Wright (1734–1797) aus Derby, 1768

Kondensators. Die beiden Gelehrten maßen sich in Diskussionen: über Unitarismus und Dualismus, in Witz bei Tische: *Ich fragte ihn, ob er das leichteste Verfahren kenne, ein Glas ohne Luftpumpe luftleer zu machen. Als er sagte: Nein, so nahm ich ein Weinglas, das voll Luft war wie alle leere Weingläser und goß es voll Wein. Er gestund nun ein, daß es luftleer sei, und dann zeigte ich ihm das beste Verfahren, die Luft ohne Gewalt wieder zuzulassen, und trank es aus. Der Versuch mißlingt selten, wenn er gut angestellt wird. Er freute ihn nicht wenig, und er wurde von uns allen mehrmals angestellt.* Man maß sich vor allem in ernstlichen Versuchen an Lichtenbergs Geräten. Voltas Instrumente bezeichnete er als *Schlosser-Arbeit*. Volta wollte beweisen, daß die Dünste positive Elektrizität wegschleppen. *Er isolierte ein Feuerbecken mit wenigen schwach glühenden Kohlen; benetzte einen Linnenlappen und warf ihn auf die Kohlen, von dem Feuerbecken ab hatte er einen Draht nach einem sehr empfindlichen Elektrometer geleitet. Es erschien aber nichts, er fluchte französisch und italiänisch. Da aber bekanntlich die Flüche bei solcher Gelegenheit wenig oder nichts helfen, so ging es nicht besser. Den Nachmittag wiederholte i c h die Versuche mit der Aeopila und dann mit Äther und sie gingen vortrefflich. Ich erhielt zum Dank doch wenigstens ein Voyez Vous.*

Ruhmredigkeit paßt in Lichtenbergs Charakter nicht. Es ist ein einziges Mal, daß er *zur Steuer der Wahrheit* gesteht, jedermann versichere ihm, *auf keiner deutschen Universität werde Physik so gelesen* wie in Göttingen. Sein Ruhm schlug sich in den Stammbüchern zahlreicher Studenten nieder, in die er Devisen und Silhouetten liefern muß. «Welcher gewöhnliche Handlanger in der exp. Physik hat noch nicht den Namen Lichtenbergs gehört und gelesen», lautet der bezeichnende Anfang eines im Nachlaß befindlichen Briefes, den ein Namenloser 1792 aus Zürich schrieb. Die Hörerzahlen sind beredt genug: über hundert in jedem Fall, bisweilen sogar 130; er muß Studenten abweisen, weil sein Auditorium zu beengt ist. Um sich einen guten Platz zu sichern, gibt es Studenten, die sich bereits im August für das Wintersemester bei ihm einschreiben. Aber Lichtenberg besaß auch die Leidenschaft des Lehrenden. Es ist beinahe nicht glaublich, wieviel Kraft in dem schwächlichen Körper steckte. Sechs Stunden täglich las er schon im Winter 1776; vollends sieben Stunden an einem Tag in der Woche im Winter 1781. Aber er muß selbst erkennen, welchen Raubbau er mit seinen Kräften trieb; er wird krank und resümiert: *Ich weiß nicht, ob die Leute klug geworden sind, die bei mir gehört haben; allein das weiß ich, ich wäre fast toll geworden!* Die Urteile der Hörer über die Art seines Vortrags beleuchten nicht nur den wissenschaftlichen Lehrer, sondern Lichtenbergs menschliche und geistige Substanz. Von seinem Witz reden alle. Damit ist zunächst nur das Vermögen gemeint, das Abstrakteste sinnlich zu machen: im zweideutigen Sinn des Wortes. Lichtenberg ist selten ein so harmloser Anspieler auf das Geschlechtliche wie dort, wo er von den gleichnamigen Polen des Magneten redet und dazu bemerkt, *daß dies Naturgesetz gemeiner sei, als man glaube, denn Personen die vorhero als ungleichnamig sich sehr stark einander angezogen hätten, stießen einander heftig ab, sobald sie gleichnamig geworden wären.* Zum anderen meint sein Witz die heillose Fähigkeit, alles mit allem zu assoziieren. «Der Mann ist zu reich an Ideen», urteilt ein Hörer. «Kaum hat er angefangen, eine zu entwickeln, so drängt sich ihm schon wieder eine Menge anderer Ideen zusammen, die fast alle zu gleicher Zeit entwickelt sein wollen ...» Lichtenberg empfand diese Überfülle der ihm zuströmenden Einfälle selbst hilflos genug, wünschte Kanäle durch sein Gehirn, einen Engel zum Ordnen, sagte von sich: *Er war so witzig, daß jedes Ding ihm gut genug war zu einem Mittelbegriff, jedes Paar andere Dinge mitein-*

ander zu vergleichen. Zugleich in Lichtenbergs Naturell und die Eigenheit seiner Epoche führt vollends die Beobachtung ein, die ein weiterer Hörer machte: «Wenn man ihn von den tiefsinnigen Erfindungen Keplers oder Newtons reden hört, so fühlt man sich ziemlich geneigt, alle diese hohen Schlüsse der tiefsten Vernunft für artige, allerliebste Einfälle zu halten.» Das ist von vornherein Lichtenbergs Gesinnung: das Gedankengut anderer sich so anzueignen, so auf sich hin zu individualisieren, daß es endlich zur eigenen geistigen Haushaltung gehört. Das Resultat war das Rokoko auf dem akademischen Katheder; Zeitgeist und persönliche Eigenart machten in Lichtenberg eine heitere Einheit.

Alessandro Graf Volta (1745—1827)

Die ganze Epoche hielt es mit der fröhlichen Wissenschaft. Der Pedant galt seit Thomasius als die Karikatur des aufgeklärten Weltweisen. Wie Voltaire, der meinte, daß es gut sei, nicht immer auf dem ernsten Ton zu sein, dachte Kant und eine wahrhaft gebildete Schicht. An der Georgia Augusta war Lichtenberg darin Blumenbach am ähnlichsten, der sich gleichfalls darauf verstand, Würde mit Heiterkeit, Aufzählung trockener Tatsachen und wissenschaftliche Deduktionen mit Scherz und Laune zu verbinden, sich auf Quintilian berufend. Wenn das Tändelnde die Gefahr solcher Lehrweise war, der Witz der Lehrerpersönlichkeit der Sachbehandlung abträglich, so hatte doch der Begriff des Spielenden eine löbliche Qualität. Lichtenberg erklärte sich dazu vor Freunden: *In Collegiis über die Experimentalphysik muß man etwas spielen; der Schläfrige wird dadurch erweckt und der wachende Vernünftige sieht Spielereien als Gelegenheiten an, die Sache unter einem neuen Gesichtspunkte zu betrachten.* Was hier Lichtenberg von dem Kolleg sagt, meint er andernorts von der Literatur: ein Vademekum für lustige Leute, von einem Lessing geschrieben, wiegt Kompendien ernster Belesenheit bei weitem auf. Das gehört in das Maskenspiel des aufgeklärten Geistes: durch überlegte Scherze zum Nachdenken anzuregen, wo der strikte Ernst närrisch wäre. In der spielend vorgetragenen Wissenschaft verbindet sich des Rokokogelehrten Einstellung auf sein Publikum mit der sicheren Beherrschung des Gegenstandes. Lichtenbergs Witz war die

Heiterkeit eines Souveräns: sein Wort und Wirken humanisierte gleichsam den Stoff.

Angesichts der Bedeutung, die Lichtenbergs Persönlichkeit und private physikalische Sammlung der Universität Göttingen in dem modernsten Fache der Zeit verschaffte, befremdet die klägliche Förderung, die Lichtenbergs Initiative von seiten der hannöverschen Regierung erfuhr. Erst auf seine dringlichen Vorstellungen hin, die er 1786 zu Papier brachte, kam es am 8. Oktober 1789 endlich zu einer Übereinkunft, nach der die Regierung für die Universität Lichtenbergs Apparat gegen Zahlung einer Leibrente erstand, einen ausreichenden Saal mietete und damit den Grundstock des physikalischen Kabinetts der Georgia Augusta schuf. In dem Promemoria für Hannover war eines der gewichtigsten Argumente Lichtenbergs, *von welchem ungemeinen Nutzen eine gründliche Experimentalphysik für alle Stände* sei: *die Basis von so vielen dem Staat nützlichen Kenntnissen.* Ein Satz, der sich völlig aus der Zeit versteht, nützlich, Lichtenbergs Definition seiner Lehrfunktion zu begreifen. Gewiß sind aus seinem Kolleg mehrere bedeutende Wissenschaftler hervorgegangen. Man nennt Johann Friedrich Pfaff, der als Mathematikprofessor sich einen Namen machte; den Engländer Thomas Young, der 1795 nach Göttingen ging, bedeutend in seinen Erkenntnissen über Bau und Reaktionsweise des Auges; vorzüglich aber Alexander von Humboldt, der über den verehrten Lehrer das schöne und treffende Urteil schrieb: «Ich achte nicht bloß auf die Summe positiver Kenntnisse, die ich Ihrem Vortrag entlehnte — mehr aber auf die allgemeine Richtung, die mein Ideengang unter Ihrer Leitung nahm.» Das ist aber zugleich, was Lichtenbergs Vortrag jedermann bedeutend machen konnte und machte. Es ist nicht von ungefähr, daß Vorlesungen, die nach seinem Tode im Druck erschienen, Mitschriften eines Pfarrers sind! Lichtenbergs Einwirkung und Einfluß ist durchaus nicht abzuschätzen. In seinen Vorlesungen trafen sich der Bürgerliche und der Adelige. Stolz vermerkt er die Anzahl von Grafen im Kolleg und bemüht sich, sie ja gut zu setzen. 1786 waren es gar die drei englischen Prinzen, die er für vier Jahre zu Schülern und unter seinem Dache hatte: *St. James* nannte er darum Dieterichs Gebäudetrakt. Von Ungarn und Italien kommen die fremden Kavaliere. Es ergibt eine überraschende Perspektive, Zeitgenossen, die man anderweitig aus der deutschen Geistesgeschichte kennt, bei Lichtenberg zu Gast, als Schüler zu sehen, Versuchen Lichtenbergs zuschauend oder selbst unter seiner Leitung sich daran versuchend. So war 1778 Wieland bei ihm; 1779 notiert der Darmstädter Goethe-Freund, Kriegsrat und kluge Schriftsteller Merck von seinem Besuch bei Lichtenberg: «Wir schossen verschiedenemal mit entzündbarer Luft und besahen allerlei mathematische Instrumente.» Am 8. März 1777 hat man den einzigen nachweisbaren Besuch Lessings. Lichtenberg ist davon noch nach Jahren ein getreuer Erinnerungspfleger. Einen Freund bittet er um Rückgabe eines Elektrophors, wünscht ihn 1785 bloß deswegen einmal wieder bei sich zu haben, weil *unser großer Lessing, der nun nach Pastor Goezens Lehren im Phosphorus der Hölle ganz andere*

Versuche anstellt, sich bei mir über eine halbe Stunde damit beschäftigt hat. Der schmeichelhafteste Besuch wird ihm 1783 zuteil: Goethe und Hardenbergs und Moltkes und Gräfin Reventlow bitten Lichtenberg um ein Privatkolleg und lassen sich eine Reihe physikalischer Experimente vorführen. Lichtenbergs Briefwechsel zeigt die Bekanntschaft mit Angehörigen aller Berufe, gibt ein Namensregister der Aufklärungsepoche. Gemeinsam ist den Korrespondenten beinah nur die Liebe zur Naturkunde. Diese Neigung macht sie Lichtenberg wertvoll; von der Liebe zur Physik wird nach seiner Überzeugung die Welt großen Vorteil haben. Sein Unterricht — im Kolleg, in Briefen — dient dem einen Ziel: *Es müssen mehr gute Köpfe erweckt werden!*

Darum ist seine Lehre durchaus nicht reine Wissenschaft und gar nicht bedacht, einen akademischen Nachwuchs zu bilden; seine Vorstellung zielt auf einen inspirierten Dilettanten. So spöttisch er dem Gelehrten begegnet, so enthusiastisch dem Manne, der mit Hilfe seines Kopfes findig wird, nicht durch das Buchstudium. *Sie Herrn Dilettanten,* schrieb er 1782 an einen von ihnen, *bringen es gemeiniglich weiter in diesen Dingen als wir Taglöhner. Wir haben gar zu vielerlei und ist kaum möglich, alles in der Ordnung zu halten. Die elektrischen Instrumente erfordern notwendig ein eignes Zimmer, allein das ist bei mir nicht möglich. Ich möchte fast sagen, ich koche und brate in meinem Saal, zwar nicht apiciusisch, aber chymisch; eine Art Versuche ist oft der Richtigkeit der anderen e diametro entgegen, und jetzt schwitzen täglich 100 Menschen auf meinem Saal, und wenn es regnet so werden 200 Schuhe und Stiefel auf meinen Dielen abgewischt. (Wenn nur ein Elektriker einmal etwas erfände, die Luft abzutrocknen.) Die größten Entdeckungen sind daher auch seit jeher von Dilettanten und nicht von Professoren gemacht worden, es müßte denn sein, daß die Glücksumstände derselben sie über den Zwang weggesetzt hätten, der die Ursache jener Hindernis ist. Die englischen Professoren sind es eigentlich nur dem Namen nach und haben die herrlichste Muße.* Ähnlich beneidete er den Professor Volta, der ein halbes Jahr Ferien und so hohes Gehalt hat, daß er seine Zeit anwenden kann, *Gelehrte und Sachen kennenzulernen.* Das Private, die Ausnahmestellung erscheint dann wie ein Zwang; die Zeit und hohe Schule, welche offenbar der persönlichen Initiative so viel Raum ließen, müssen dann als die Bürde gelten, die ein Genie in Deutschland zu tragen hatte, weil es sich nicht mehr zu dem alten Gelehrtentyp verstand, sondern bereits den modernen Forscher bei sich konzipierte. Lichtenberg wußte, was er sagte. Das achtzehnte Jahrhundert hat allerdings in den Wissenschaften der Natur die genialen Außenseiter erlebt. Lichtenbergs Vorbilder finde man füglich unter den Dilettanten. Sein verehrter Franklin war von Beruf Apotheker gewesen. Wilhelm Herschel, dessen Bekanntschaft Lichtenberg 1786 in Göttingen machte, übte den Beruf des Organisten in Bath aus und erfand in Nebenstunden ein Teleskop, das Newton für ganz und gar unmöglich gehalten hatte. Er eroberte damit die unbekannten Räume des Himmels wie Cook die der Meere, und

Johann Friedrich Blumenbach (1752–1840).
Radierung von Ludwig Emil Grimm, 1823

er war von Beruf nur ein Seefahrer. Über beide berichtete Lichtenberg
einem größeren Publikum. Mit Vergnügen zitierte er Cooks Ausruf,
daß der Teufel die Gelehrsamkeit und alle Gelehrten obendrein hole,
und er gab nur der eigenen Überzeugung Ausdruck, wenn er von
Cook bemerkte, *daß das Bewußtsein seiner Überlegenheit an wah-*
rem, gesundem Menschenverstande und an Macht des eigenen Nach-
denkens, die er bei sich verspürte, in ihm eine Verachtung gegen alle
Gelehrsamkeit, mathematische etwa ausgenommen, bewirkt hatte.

Lichtenberg hatte 1784 eine klare Wunschvorstellung für die Zeit,
da er einmal nicht mehr Professor sein sollte, nämlich *mich bei mei-*
nem Bruder in Gotha in Ruhe zu setzen und mich mit ihm ganz der
Physik zu widmen . . . mit dem physikalischen Dilettanten also, den
er scherzhaft übertreibend einmal einen wahren *Ingenhousz an Ein-*
nahme gegen den armen Schlucker von Professor nannte. Er hat seinen Traum nicht verwirklichen können. Er ist im Gegenteil auf die

Dauer noch mehr in das entgeisternde Getriebe der zeitgenössischen Universität geraten und gerät bisweilen selbst zu dem Bilde des Buchgelehrten, der schreibend Geschriebenes schreibt, Wissen aus dem Buch in ein Buch vermittelt: Fortsetzer wiederum Erxlebens in der Herausgabe eines Kompendiums, das er zu mehreren Malen überholte und auf den neuesten Stand der Forschung zu bringen unternahm. Seit 1787 hatte er die Absicht, ein eigenes Buch der Physik zu schreiben: aber der Professor hatte nie die Muße dazu.

Lichtenbergs *Hausherr, Verleger, Bücher- und Weinlieferant und Freund* Johann Christian Dieterich hatte 1776 zum erstenmal einen Kalender erscheinen lassen. Sein Herausgeber war für einen Jahrgang Erxleben. Nach dessen Tode übernahm Lichtenberg das Amt

Dieterichs Wohnhaus, in dem Lichtenberg lebte und lehrte

des Kalendermachers, der damit seinen *Hauszins* entrichtete. Einundzwanzig Jahre hindurch sandte er zu Weihnachten seinen Freunden und Bekannten die *Nürnberger Ware* und den *literarischen Pfefferkuchen*, wie er spöttisch den Göttinger Taschenkalender nannte, als dessen Stammvater er den «Hinkenden Boten» bezeichnete. «Schon lange ist es Mode, Büchelchen für jedes Jahr herauszugeben, die feine Herren und Damen in der Tasche mit sich tragen, die eingestreuten Kupferstiche darin besehen, mancherlei darin mit Vergnügen lesen, auch bisweilen etwas lernen ... Lichtenberg sorgte dafür, daß der göttingische Calender, so viel es diese Art Bücher erlaubt, zu-

Friedrich Wilhelm Herschel (1738—1822),
Organist und Astronom

gleich angenehm und nützlich war», rühmt 1799 Kästner dem Toten nach. «Taschenbuch zum Nutzen und Vergnügen» trug der Kalender, der übrigens auch ins Französische übersetzt wurde, als Untertitel. Lichtenberg hielt sich genau daran. Der Kalender sollte möglichst ein großes Publikum ansprechen, dessen Bildungsgrad nicht erlesen war. Die Leserin mußte berücksichtigt werden. Unter der *air von Bagatelle* versuchte Lichtenberg mit Erfolg die heitere Belehrung, getreu seiner Ansicht, daß es nächst Chronologie und Astronomie nichts gebe, was eher *kalendermäßig behandelt werden könnte als Physik.* Aber nie vergaß er die Kupfer der neuesten Frauenzimmer-Moden und Mannskleider. Zu dieser Herausgeber- und Schreibtätigkeit für den Kalender kamen Veröffentlichungen in rund einem halben Dutzend einheimischer und auswärtiger Magazine des popularwissenschaftlichen Charakters der Aufklärung, kam schließlich von 1780 an die Herausgabe des «Göttingischen Magazins der Wissenschaften und Litteratur», ebenfalls im Verlage Dieterichs. Mit großen Erwartungen waren Lichtenberg und sein Mitherausgeber Georg Forster, der Professor in Kassel und sein Freund geworden war, an die Verwirklichung des Planes gegangen, in seriösem Vortrage *Kenntnis der Natur und des Menschen überhaupt, Physik, Naturhistorie und Philosophie, Physiognomik für und wider, Geschichte, hauptsächlich* gelehrte, Statistik, Nachrichten von den neuesten und wichtigsten Entdeckungen zu unterbreiten, allerdings alles wegzulassen, was dem Geschmack an müßiger Tändeley und litterarischem Parteygeist schmeichelt. Als Mitarbeiter findet man darin vor allem die Göttinger Universitätskollegen, den einen und anderen gelehrten Dilettanten von Lichtenbergs Bekannten, hin und wieder einen aus der Literaturgeschichte bekannten Aufklärer. Fünf Jahre nur existierte das Magazin. Sein Mißerfolg beleuchtet die Situation der Aufklärung in jenem Zeitpunkt. Gewiß fehlte ihm die Mannigfaltigkeit, war Forster ein enttäuschender Mitarbeiter, so daß Lichtenberg gern Blumenbach in die Redaktion aufgenommen hätte. Entscheidender war, daß Lichtenberg sich genötigt sah, wider den anfänglichen Vorsatz dem Geschmack der Zeitgenossen an leichter gereimter Kost Rechnung zu tragen, weshalb Dieterich Bürger zur Mitarbeit vorschlug. Lichtenberg selbst veröffentlichte darin, ohne jedoch das Schicksal des Magazins ändern zu können, zwei eigene satirische Verswerke, das fragmentarische Alexandrinergedicht über Torheiten der zeitgenössischen Literatur und die reizende *Relation von den schwimmenden Batterien*, die eine Historie aus dem französisch-englischen Kriege bei Gibraltar zum Anlaß hatte. Als eine bedeutende Konstellation am Rande erscheint die Tatsache, daß Jean Paul 1784 eine Satire von sich für das Magazin anbot, «worin schon Ihre Satiren stehen». Lichtenberg hat da noch offenbar von jenem durchaus nicht Notiz genommen.

Hatte Lichtenberg mit der Herausgabe der beiden Zeitschriften seine repräsentative Stellung in der zeitgenössischen Literatur, so besaß er schon seit 1773 einen Namen als Schriftsteller. In jenem Jahre erschien durch Vermittlung Boies und Nicolais die 1771 geschriebene Satire *Timorus, das ist Verteidigung zweier Israeliten, die durch die Kräftigkeit der Lavaterischen Beweisgründe und der Göttingischen Mettwürste bewogen den wahren Glauben angenommen haben von Conrad Photorin, der Theologie und Belles Lettres Candidaten*. Der Anlaß war Lavaters Aufforderung an den berühmten jüdischen Philosophen Mendelssohn, zum christlichen Glauben überzutreten. Das war wider das der Aufklärung teure Grundgesetz der Toleranz, das kurz zuvor auch Pfarrer Goeze verletzt hatte, als er gegen die Sittlichkeit der Schaubühne polemisierte und die theologische Fakultät in Göttingen um ein Gutachten anrief. In beiden Fällen griff Lichtenberg zur Feder, behielt aber die Satire gegen die Göttinger Theologen lieber für sich. Gegen Lavater schlug er los, der Satire als lächerlicheren Kontrast das Faktum einer Göttinger Judentaufe beimischend. Der Beifall war groß. Hamann pries den Satiriker; nur Claudius und die jungen Genies um die «Frankfurter Gelehrten Anzeigen» rügten: das vergaß ihnen Lichtenberg nicht. Seine eigentliche Absicht und Selbstkritik schrieb er 1777 einem Bekannten: *Ich wollte einmal einen Versuch machen, ob ich eine Ironie, ohne mich zu vergessen, durch ein paar Bogen durchführen könnte und wie sich das ausnehmen würde.* Sein satirischer Zorn hat denn auch etwas Künstliches, mehr von dem Spiel als der Entrüstung. Spiel war schon die Namenswahl; Photorin und Emanuel Candidus und Friedrich Eckardt sind seine gern gewählten Künstlernamen, hinter denen der Professor Versteck spielt, seine Autorschaft mystifizierend. Lichtenbergs Art der Satire hat etwas von l'art pour l'art. Vorwurf und Anlaß sind zweiten Ranges und oft ohne jedes Interesse. Die Spannung entsteht aus dem Witz, der das Nichtige einkleidet: es ist der Satiriker, den man genießt, nicht das verspottete Objekt, an dem man sich ergötzt. Abwertig könnte man sagen, ist es eben das, was ihn von Swift unterscheidet. Lichtenberg besitzt nicht dessen ar-

Johann Christian Polycarp Erxleben
(1744—1777)

chimedischen Punkt für bestürzende, umstürzende Satiren. Lichtenberg braucht den aktuellen Anlaß. Swift sah nur in dem Sosein und Dasein der Menschen Anlaß genug.

Seinen archimedischen und zugleich empfindlichsten Punkt fand er, wiederum durch Lavater veranlaßt, in einem Artikel, mit dem der Kalender für 1778 eröffnet wurde: *Über Physiognomik; wider die Physiognomen.* Binnen kurzem waren 8000 Exemplare des Kalenders verkauft, mußte der Aufsatz einzeln wiederabgedruckt werden. *Als im Jahre 1777 im Sommer Niedersachsen von einer Raserei für Physiognomik befallen wurde, die allen Vernünftigen, welche wußten, mit was für u n e r m e ß l i c h e n Schwierigkeiten die Sache verbunden ist, abscheulich vorkommen mußte, so dachte ich ... ich könnte den Kalender nicht nützlicher machen, als wenn ich einige Mittel gegen diese Seuche darin vorschriebe, indem ich dem gemeinen Haufen zeigte, daß man wenigstens behutsam verfahren müßte, und daß man den Menschen aus seiner äußeren Form nicht so beurteilen könnte, wie die Viehhändler die Ochsen. Ich suchte zu zeigen, daß bei einem so unergründlichen Geschöpfe, als der Mensch, das unter übrigens gleicher Anlage, durch Kunst über alles, was wir jetzt wissen, verschlimmert und verbessert werden könnte, aus seiner äußern Form urteilen wollen, was es sei, nicht viel weniger wäre, als w e i s s a g e n!*

Mit seiner Zeit und Lavater fand auch Lichtenberg: *Die unterhaltendste Fläche auf der Erde für uns ist die vom menschlichen Gesicht.* Es war ihm aber eine private Unterhaltung und niemand schadendes

Studium. Er besaß die Leidenschaft des Physiognomisten. In England hatte er sich eine kleine Porträtsammlung angelegt. Seine geistigen Vorbilder suchte er im Bild um sich zu haben. Newtons Totenmaske war sein großer Stolz. Von Autoren, die er aus der Lektüre kennen und schätzen lernte, wünschte er sich gern ein Porträt. Aber seine langjährigen Studien hatten ihn zur Behutsamkeit erzogen. In den zwei Zeichnungen des Nachtwächters deutete er bildlich die Gefahr der Physiognomik. Was ihn entsetzte, war, daß Lavater ein System machte, das aus den festen Teilen des Schädels auf den

Göttingisches
Magazin
der
Wissenschaften und Litteratur.

herausgegeben
von
Georg Christoph Lichtenberg
und Georg Forster.

Ersten Jahrgangs Erstes Stück.

Göttingen,
bei Johann Christian Dieterich 1780.

Charakter schloß. Das war zuletzt keine Deutung mehr, sondern in *transzendenter Ventriloquenz* geäußertes, archaisches Vorurteil, nach dem Christus schön sein mußte, weil er ohne Sünde war, der Häßliche aber ein lasterhafter Mensch. Lichtenbergs Verwahrung gegen Lavaters Physiognomik war im Grunde ein verzweifeltes Plädoyer für sich selbst, den Mißwüchsigen, zugleich aber Ausdruck einer wahrhaft aufgeklärten Gesinnung. Lavater ist bei allem irrationalen Impetus und einem womöglich ingeniösen Instinkt, womit er sich in die Physiognomik einließ, jenem ursprünglichen Rationalismus vergleichbar, der die Mathematizität in allem auf den Plan zu rufen gesonnen war. Lichtenberg ist bloß Rationalist, wie er sein sollte, wenn er gegen Lavater und seine Anhänger gerade das ewig nicht einzusehende Irrationale, das Singuläre der menschlichen Bildung und ihrer Relation zur Psyche behauptet und, wenn überhaupt, bei der Beobachtung des Menschen in Aktion und Leidenschaft, an der Pathognomik mehreren Sinn sieht.

In einem aber gehören beide der gleichen Generation an, das ist nach ihrer Überzeugung, daß der Mensch am zulänglichsten von seinen außerordentlichen Vertretern abzuleiten ist: von dem Genie und Verbrecher und auch dem Narren. Lavater empfiehlt ohne Bedenken dem Anfänger in der Physiognomik den Besuch der Irrenhäuser und das Studium ihrer Insassen. Lichtenberg notiert sich gleichsinnig: *Aus der Narrheit der Menschen in Bedlam müßte sich mehr schließen lassen, was der Mensch ist, als man bisher getan hat.* Er war bekanntlich in Bedlam. Man weiß von ihm selbst, wie sehr ihn seelisch der Verbrecher faszinierte. Als der überaus intelligente Bürger Rüttgerodt, der zum dreifachen Mörder geworden war, bei Einbruch hingerichtet wurde, besuchte er mit Deluc den Richtplatz. Aber die Silhouette des Gothaer Mörders Simmen wurde ihm zu einem hinterlistigen Test gegenüber den Freunden: sie sollten das Gesicht deuten und *lavaterten* harmlos daher: ein weiterer Beweis gegen den Anspruch der Lavaterschen Physiognomik. In *Fragmenten von Schwänzen* Göttinger Purschen und Schweine gab Lichtenberg vollends eine groteskkomische Parodie des Lavater-Stils, in seinen «Fragmenten» ausgestellt.

Der Physiognomen-Streit bewegte das literarische Deutschland, spaltete es in zwei Lager; Wieland, Mendelssohn wurden hineingezogen; ein neuer Kontrahent erstand Lichtenberg in dem Leibarzt Zimmermann aus Hannover. Sie kannten sich persönlich. Desto boshafter wurde der Disput geführt, bis Lichtenberg von selbst abließ. Seine Pfeile lagerten von nun an in den Merkbüchern. Seine physiognomischen Ansichten fügten sich nicht zu einem abschließenden Werk, sondern flossen in Schriften ein, die als Kommentare zu Kupfern im Kalender gedacht waren: von Chodowiecki und danach Hogarth. Was Lavater selbst betrifft: 1786 suchte er Lichtenberg in Göttingen auf, und der Physiker stellte betroffen fest, daß, wenn der Pfarrer schon kein Herschel sei, er doch sehr verständig und gar nicht einmal schwärmend zu reden wisse.

Es war von vornherein eine geschäftstüchtige Erwägung Dieterichs, den Kalender mit Kupfern zu schmücken. Vollends Daniel Chodowiecki zur Mitarbeit zu gewinnen, den vielbeschäftigten Buchillustrator seiner Zeit, bedeutete vermehrten Anreiz für das in Bilder vernarrte Publikum. Man kennt Gleims hübsches Epigramm, das er kurz nach dem Tode des Künstlers verfaßte:

Chodowiecki war!
War! Wär' er nicht gewesen,

So blieb wohl eine Schar
Von unsern Büchern ungelesen.

Gleichwohl hat die Zusammenarbeit von Lichtenberg und ihm für den Kalender nicht eben Erhebliches gegeben: eine Folge von Tugend und Laster zum Beispiel, das ist eine Lavater sehr nahe kommende Schwarzweißmalerei; Abfolgen von Natur und Affektation; ein Quodlibet von Heiratsanträgen; endlich das *Centifolium Stultorum Narrheiten*. Das schließt an Abraham a Santa Clara an, ohne im geringsten dessen satirisches Salz zu haben, ist Narrenschelte, wie sie Rabener vorgeschrieben hatte, scherzender Rationalismus an Stelle des bildkräftigen Barock.

Man möchte sagen, die Kommentare, welche Lichtenberg zwischen 1778 und 1783 zu Chodowiecki schrieb, waren Vorübungen für jene Bilderklärungen, die danach dem Kalender das Gepräge geben sollten: die Folgen Hogarthscher Kupfer. Seit England war Hogarth sein *alter Freund* zu nennen. Hogarth zu erklären bestätigte ihn selbst als den ausgezeichneten Kenner des Menschen in allen Ständen. In der Tat mutet auf den ersten Blick der Kalender-Hogarth wie Lichtenbergs physiognomisches Bilderbuch an: das schmale For-

Johann Georg Adam Forster (1754—1794)

Ueber

Phyſiognomik;

wider

die Phyſiognomen.

Zu
Beförderung der Menſchenliebe
und Menſchenkenntniß.

Not working with the Eye without the Ear,
And, but in purged Judgment, truſting neither.
Shakespeare.

Zweyte vermehrte Auflage.

Göttingen,
bey Johann Chriſtian Dieterich.
1778.

mat gestattete zumeist nur die Reproduktion der Köpfe, nicht das ganze Bild. In Zusammenhang mit Lavaters «Fragmenten» hatte sich ja auch um Hogarth eine erregte Diskussion entzündet: waren Hogarths häßliche menschliche Geschöpfe noch Mensch zu nennen oder besser Karikatur? Lichtenberg bemühte sich zu beweisen, daß diese Diskussion Hogarth nicht gerecht wurde. Er sah in Hogarth den Maler, der wie keiner vor ihm das Tierische im Menschen zutage gefördert hatte. Die menschliche Natur kennenzulernen so wie Hogarth sie kannte, meinte Lichtenberg, *ist kaum möglich, ohne die vom Affen zugleich mit zu studieren, des Lichts wegen das sich diese Kenntnisse wechselsweise leihen.* Über allem steht das geistige Vergnügen, die vertrackte Haushaltung der Hogarthschen Bilder zu durchleuchten. Wenn einer imstande war, jene bis obenan gefüllten Stuben und Räume zu erklären, dann war es Lichtenberg: alles spielt da alles an, alles verweist auf jedes; die Bilder setzen sich in Bildern im Bild fort: als ein Theater auf dem Theater.

Offenbar in Widerspruch zu Lichtenbergs offen geäußertem Abscheu vor der erklärten irrationalen Geistesströmung des achtzehnten Jahrhunderts steht seine innige Beschäftigung mit den — wie die Romantik es formulierte — Nachtseiten der menschlichen Seele, ja, seine Beschäftigung mit dem Irrationalen überhaupt. Er leugnete keineswegs die Inspiration, beschäftigte sich mit dem Werk Jakob Böhmes, dieses barocken Erleuchteten, der noch von Adelung in eine Geschichte der menschlichen Narrheit gerechnet wurde. Er ahnte Zusammenhänge zwischen Genie und Wahnsinn. Er wurde aufmerksam auf das seltsame Traumwesen, notierte Träume, riet ein philosophisches Traumbuch an, schlug vor, einmal den Roman von schlafenden Menschen zu schreiben. Man hat zu Recht auf Freud hingewiesen, wenn man Formulierungen liest wie die folgende: *Wenn Leute ihre Träume aufrichtig erzählen wollten, da ließe sich der Charakter eher daraus erraten als aus dem Gesicht.* Er sieht die komplexe Person: *Der Traum ist ein Leben, das, mit unserm übrigen zusammengesetzt, das wird, was wir menschliches Leben nennen. Die Träume verlieren sich in unser Wachen allmählich herein, man*

Johann Kaspar Lavater (1741—1801).
Aquarell-Miniatur aus Lavaters Sammlung

...ann nicht sagen, wo das Wachen eines Menschen anfängt. Aber sei-
e Sensibilität hat nicht vermocht, die Theorien zum Traum künst-
risch fruchtbar zu machen. Wo er Traumerzählungen verfaßt, bleibt
r durchaus im Limit des Rationalismus. Ähnlich verhält es sich mit
einem Aberglauben, den er den *Körper meiner Philosophie* nennt.
r zieht aus jeder Sache eine Vorbedeutung, macht in einem Tage
undert Dinge zum Orakel. *Jedes Kriechen eines Insekts dient mir
u Antworten über Fragen über mein Schicksal. Ist das nicht sonder-
ar von einem Professor der Physik? Ist es aber nicht in mensch-
her Natur gegründet und nur bei mir monströs geworden, ausge-*

Der eingebildete und der wirkliche Nachtwächter.
Zeichnung von Lichtenberg, 1775 (Aphorismenheft E)

dehnt über die Proportion natürlicher Mischung, wo es heilsam ist

Aber von dieser privaten Philosophie wußten vielleicht Kant un[d]
Jacobi, denen er darüber schrieb. Vor der Öffentlichkeit ist er de[r]
unerbittliche Verfolger und Aufklärer von Aberglauben jedweder Ar[t.]
Das ist die Verantwortlichkeit des Gebildeten für die Menge. Er ver[-]
wirft nicht unbesehen Phänomene wie den Magnetismus, Geistere[r-]
scheinungen, Weissagungen; aber er lehnt es ab, an sie zu glaube[n,]
so lange man dafür noch eine vernünftige Erklärung findet. Das Ne[-]
bulose, die Hochstapelei, das schwärmerisch Ahnungsvolle bekämpf[t]
er unnachsichtig. Man sieht den Rationalismus zumal nach der Jah[r-]
hundertmitte allzu einseitig, wenn man ihn als jene Epoche versteh[t,]
die den Verstand zur Allmacht erklärte. Er ist aber vielmehr jen[er]
Epoche, der das Irrationale zum Problem wurde und ihr Wirken z[u]
dem Versuch, das Irrationale auf die Ratio zu beziehen. Lichtenbe[rg]
macht diese Problematik nur deutlicher als die Mehrzahl seiner Zei[t-]
genossen, mit denen er im Leben und Wirken übereinstimmte.

Mitten in die fröhlichste Aktivität und zuversichtliche Forscherlust fällt ein Ereignis, das Lichtenberg fast von Sinnen bringt. Dem Wesen nach kennt seinen Jammer die ganze Stadt, nach dem Grade nur wenige seiner besten Freunde, unter ihnen Meister, Amelung und Garve. Ihm als Philosophen gibt er am 3. November 1782 eine Schilderung, in der das Jahr zu einem bösen Zauber wird. Im Frühsommer hatte ihn ein unglücklicher Zufall bei Versuchen beinahe ein Auge gekostet; danach bannt ihn mitten im Semester ein schneidender *Schmerz gleich unter dem Herzen*, der ihn am Stehen hindert, für drei Wochen ans Bett. Kaum war er *aus diesem traurigen Zustande heraus, so kam ich in den empfindlichsten, in dem ich mich in meinem ganzen Leben befunden habe, und der noch nicht ganz aufhört.* Sein Mädchen — Maria Dorothea Stechard — war gestorben. *Ist durch ihren Besitz sein Leben nie reicher und glücklicher gewesen*, beklagt er nun den größten Verlust, den er in seinem Leben erlitt.

Sie war die Tochter eines göttingischen Leinwebers, *von sehr honetten, aber geringen Eltern* am 26. Juni 1765 geboren. Im Frühling des Jahres 1777 hatte Lichtenberg die Kleine getroffen. *Ein solches Muster von Schönheit und Sanftmut*, vertraute er Anfang 1783 dem Pfarrer Amelung, *hatte ich in meinem Leben noch nicht gesehen, ob ich gleich viel gesehen habe.* Einer Statistik zufolge haben bis dahin vier Amouren sein Leben passiert, vier Namen: Weylands offenbar platonisch geliebte Tochter, das ist womöglich das anderweitig sogenannte Lorchen; Justine, das eine bis zu ihrer Heirat dauernde sinnliche Liebe gewährende Malermodell; eine wütige Leidenschaft für den Kometen, hinter dem man die Schneidertochter Marie Sachs vermutet; endlich eine Liebelei mit Dieterichs Köchin Marie, die von etwa 1772 bis zu ihrem Fortgang im Oktober 1778 bestand. Von der Episode mit einem Bettelmädchen erfährt man 1772 aus Hannover. Als Lichtenberg, sechstens, die *kleine Stechardin sah, befand sie sich in einer Gesellschaft von 5 bis 6 andern, die, wie die Kinder hier tun, auf dem Wall den Vorbeigehenden Blumen verkaufen. Sie bot mir einen Strauß an, den ich kaufte. Ich hatte 3 Engländer bei mir, die bei mir aßen und wohnten. God almighty, sagte der eine, what a handsome girl this is. Ich hatte das ebenfalls bemerkt, und da ich wußte, was für ein Sodom unser Nest ist, so dachte ich ernstlich, dieses vortreffliche Geschöpf von einem solchen Handel abzuziehen.*

Der Mörder Rüttgerodt, 1776 hingerichtet. Silhouette aus der Sammlung des Studenten Carl Schubert, Göttingen 1779

In der Tat scheint die Moral Göttingens nicht eben berühmt gewesen zu sein. Man flüsterte von Kästners *präsumtiver Tochter,* wußte eines Theologen Frau als Dirne; die Menge der unehelichen Kinder, die von einheimischen Müttern geboren wurden, war wenigstens so groß wie die Zahl der geschlechtskranken Purschen. Kein Wunder, daß die sittsame Jungfrau Stechard sagte, *sie ginge keinem Purschen auf die Stube,* als Lichtenberg sie endlich allein sprach und bat, ihn im Hause zu besuchen. *Wie sie aber hörte, daß ich ein Professor wäre, kam sie* an einem Nachmittage wohl im Mai des Jahres, *mit ihrer Mutter zu mir. Mit einem Wort sie gab* den Blumenhandel auf und war *vom* 1778 an *den ganzen Tag bei mir. Hier fand ich, daß in dem vortrefflichen Leib eine Seele wohnte, grade so wie ich sie längst gesucht aber nie gefunden hatte.*

Nimmt man dazu sein Geständnis, daß sie ihn mit dem ganzen menschlichen Geschlecht ausgesöhnt habe, so bemerkt man, wie anmutig jene neue Begegnung und Erfahrung zwei im Februar 1777 geschriebene Briefe *Über die Macht der Liebe* ironisiert. Dort hielt er ihre Unwiderstehlichkeit höchstens für *poetische Faselei junger Leute* oder aber für Verwechslung mit dem ihm allerdings unwiderstehlichen Zeugungstrieb. Einer wahrhaft starken Seele habe Liebesleidenschaft sich nie bemächtigt, der Grieche habe nie dem Weib das von Natur gegebene Vermögen, *ein dringendes Verlangen auf eine angenehme und nützliche Art zu befriedigen,* für ein Verdienst angerechnet. Das heißt in der Natur des Weibes sehen, was Rationalismus von der Literatur forderte, nämlich angenehm und nützlich zu sein. Nichts da von poetischer Raserei: ... *lerne dein braunes Mädchen genießen wie dein braunes Brot* —. An die Stelle eines schwä-

86

menden Kultes von scheinbarer Natürlichkeit setzt Lichtenberg die aus naturbedingtem Tun und Denken erfolgenden klaren Verhältnisse: *Einem Triebe folgen, ohne den die Welt nicht bestehen könnte, die Person lieben, die mich zum einzigen Gesellschafter ausersehen hat ... das halte ich sicherlich für keine Schwachheit, sondern für klare, reine Schuldigkeit, und ich glaube auch, es steht nicht bei uns, ein solches Geschöpf nicht zu lieben. Beklagen wir ja den Tod eines Haushundes.* Man könnte danach so sagen: Lichtenbergs Briefe über die Un-Macht der Liebe beweisen eigentlich, wie dürftige Erfahrungen er noch gemacht und wie streng er aus der Sphäre der Köchinnen, der Aufwärterinnen geurteilt, vorgeurteilt hatte.

Die Stechardin jedoch fand Lichtenberg zum Glück noch nicht fertig: verkörperte Sehnsucht des Aufklärers, der entzückt an sein Erziehwerk ging. *Ich unterrichtete sie im Schreiben und Rechnen und in andern Kenntnissen, die, ohne eine empfindsame Geckin aus ihr zu machen, ihren Verstand immer mehr entwickelten.* Das ist eine wichtige Ergänzung. Dem schwärmerischen Gecken, dem weichlich Schwachen, dem Wollüstling entsprach ja durchaus ein zahlreiches Publikum von bleichen Frauenzimmern, so grausam klug wie empfindsam. Lichtenberg kannte sie in Gestalt der berühmten Professorentöchter Caroline Michaelis, die Wilhelm von Humboldt die «Gelehrte» nannte, und Dorothea Schlözer, die, virgo erudita, mit siebzehn Jahren 1787 promovierte. Von der Stechardin berichtet Lichtenberg, daß sein physikalischer Apparat *sie anfangs durch seinen Glanz reizte und endlich der Gebrauch davon ihre einzige Unterhaltung* wurde. Von ihrer Hand ist offenbar ein Verzeichnis der Geräte, ihr von Lichtenberg in die Feder diktiert. *Nun war unsere Bekanntschaft aufs Höchste gestiegen. Sie ging spät weg und kam mit dem Tag wieder, und den ganzen Tag über war ihre Sorge meine Sachen, von der Halsbinde an bis zur Luftpumpe, in Ordnung zu halten, und das mit einer so*

Johann Georg Ritter von Zimmermann (1728—1795). Silhouette, 1775

Daniel Chodowiecki (1726–1801). Gemalt von seiner
Tochter Suzette. Ehemals Ermeler-Haus, Berlin

himmlischen Sanftmut, deren Möglichkeit ich mir vorher nicht ge-
dacht hätte.

An Nichtpastoren schreibt er anders. Dann ist nicht die Sanftmut,
sondern das tollende Temperament ihr hübschester Reiz. Das *böse*
Katzenmädchen nennt er sie da wohl, und Lichtenberg war bekanntlich ein Katzenfreund, *Hexe* heißt er sie zum Scherz. Da erscheint
es denkbar, daß die Parodie von Bürgers Lied «Die Holde die ich
meine», 1779 unter dem Titel «Die Hexe, die ich meine» im Mu-
senalmanach abgedruckt, auf die Stechardin Bezug hat. Zu der
Parodie habe Lichtenberg, wie Bürger an Boie schrieb, «bloß die
Idee und die Grundlage hergegeben. Die ganze Ausführung bis

auf ohngefähr 2 Strofen gehört mir.» Überliest man die Gemein-
schaftsarbeit, so mutet der Anfang noch am ehesten lichtenbergisch
an:

O was in tausend Zauberpracht
Die Hexe, die ich meine, lacht!
Nun sing, o Lied und sag's der Welt:
Wer hat den Unfug angestellt;
Daß so in tausend Zauberpracht
Die Hexe, die ich meine, lacht?

William Hogarth (1697—1764).
Schabkunstblatt nach dem Selbstbildnis

7

Junges Mädchen. Kupferstich aus der Folge «Tugend und Laster» (Blatt 7
Göttinger Taschen-Kalender für 1778. Als Lichtenberg das Blatt beschrie
hatte er gerade die kleine Stechardin kennengelernt.

Die Folge war, was Sie schon mutmaßen werden, sie blieb von Ostern 1780 an, ein Jahr nach ihrer Konfirmation, ganz bei mir. Ihre Neigung zu dieser Lebensart war so unbändig, daß sie, zwei Jahre hindurch, nicht einmal die Treppe hinunterkam, als wenn sie in die Kirche und zum Abendmahl ging. Sie war nicht wegzubringen. Wir waren beständig beisammen. Wenn sie in der Kirche war, so war es mir, als hätte ich meine Augen und alle meine Sinne weggeschickt. Aus dem Kind, das er noch im Juni 1778 als seine kleine Tochter bezeichnet, die *zu einer recht guten Frau zu machen* sein Unterricht bezweckt hatte, war *ohne priesterliche Einsegnung* sein Weib geworden. Freilich hat man sich über die illegitime Verbindung aufgehalten. Noch 1791 spielte Kotzebue in jener unflätigen Satire «Doctor Bahrdt mit der eisernen Stirne» auf Lichtenbergs innigste Liebe grobschlächtig an: «Vor vielen Jahren schon hielt ich mir ein Mädchen von elf Jahren, welches Blumensträuße feil trug. Sie wohnte in der Gasspühlen und wir brachten wechselseitig Götternächte miteinander zu. Ich kleidete sie mit britischer Freigiebigkeit, unterhielt auch Papa und Mama. Die Sache wurde aber endlich so notorisch, daß in der Schola puellarum meine Amasia ein Gespött der übrigen wurde und der Schulmeister sogar de fornicatione omittenda herrliche Ermahnungen ergehen ließ.» Über das Alter der Stechardin jedoch hat man sich gewiß nicht entrüstet. Die Umschau in den Rechtsbestimmungen der Zeit ergibt immer wieder vierzehn

Die von den Göttinger Professoren bevorzugte Wohngegend in Göttingen. Stich von Joel Paul Kaltenhofer, 1765

Jahre als Heiratsmindestalter, nach kirchlicher Anschauung aber die erfolgte Konfirmation als Erfordernis. Hufeland heiratete die sechzehnjährige Tochter des Lichtenberg-Freundes Amelung, Lavoisier gar eine Dreizehnjährige. Maria Dorothea stand damals im Ausgang ihres fünfzehnten Lebensjahres. *Indessen konnte ich diesen Engel, der eine solche Verbindung eingegangen war, nicht ohne die größte Rührung ansehn. Daß sie mir alles aufgeopfert hatte, ohne vielleicht ganz die Wichtigkeit davon zu fühlen, war mir unerträglich. Ich nahm sie also mit an Tisch, wenn F r e u n d e, wie Meister, bei mir speisten, und gab ihr durchaus die Kleidung, die ihre Lage erforderte, und liebte sie jeden Tag mehr.* Dem Freund Garve allerdings hatte er sie, als jener ihn im Sommer 1781 besuchte, vorenthalten, weil er den Gedanken nicht ertragen konnte, *sie vor einem solchen Mann wie Sie unter dem Titul als Maitresse aufzuführen,* ein Titel, den sie gar nicht verstand. So war denn Lichtenbergs Absicht, sich mit ihr auch vor der Welt zu verbinden, woran sie nun nach und nach mich zuweilen zu erinnern anfing.

Da wurde sein Mädchen, das die Gesundheit selbst war, krank. Und Lichtenberg, der zeitlebens Leiden und Tod mit schaudernder Faszination begegnete, hatte Grund zu konkreten Betrachtungen über den Wechsel von Schönheit der Jugend zu hippokratischem Gesicht. *Sie gleicht sich gar nicht mehr,* schrieb er an Meister, *so daß, wenn ich sie verliere, ich gar nicht werde glauben können, daß die Verstorbene die sei, mit der ich umgegangen bin. Es ist ein erstaunlicher Jammer.*

Dorothea Schlözer. Silhouette von Philipp Ganz, 1787

Gestern mittag, wenn ich ihr zurief, ob sie mich noch kenne, sah sie sich um und nannte mich mit zitternder Stimme, und durch die fürchterliche Maske schien die alte Freundlichkeit durch. Gestern abend kannte sie mich nicht mehr, sie hörte mich nicht einmal mehr. Sie fingert auf der Decke und läßt alles ins Bette gehen. Jetzt, da ich dieses schreibe, faselt sie wieder laut immer von meinen Instrumenten im Saal und ob mir die Mutter recht aufwarte, die offenbar mit dem Vater am Krankenbett weilte. Am 3. August 1782 abends mit Sonnenuntergang ist sie gestorben.

Lichtenberg sucht sich danach, *wie aus einem Traum erwacht,* zu besinnen und repetiert in Briefen an die Freunde aber und abermals, was ihm widerfuhr. Noch Ende des Jahres kann er *kaum ohne Tränen durch die Erzählung durchkommen,* muß er abbrechen, weil Erinnerung ihn übermannt. Ihre Krankheit, die

Christian Garve (1742—1798). Stich nach einem Gemälde v. Anton Graff

ihrem Leben in acht Tagen ein Ende machte, war die *Rose am Kopf, die vermutlich durch Unwissenheit unsrer Ärzte zurücktrat*. Daß die Stechardin ein *Opfer der Arzneiwissenschaft* geworden sei, das Gefühl, bei dem Sterben der Geliebten hilflos, unfähig trotz dem besseren Wissen gewesen zu sein, beschwert sein Gewissen, beherrscht seine Gedanken in den unter dem Eindruck des Todeskampfes entstandenen Briefen. Später sucht er sich mit der Versicherung zu beruhigen, es sei alles getan worden. Davor suchte er, wo die Philosophie, *in deren Diensten ich zu stehen die Ehre habe*, nicht zu trösten mehr vermochte und die Überzeugung von der unendlichen Weisheit wankend geworden war, seine Befriedigung in dem einzigen Schmerz, hernach in der räumlichen Entfernung: *Ich bin einstweilen auf eine andre Etage gezogen, und ich und Herr Dieterich*, dem eine Tochter noch nicht einundzwanzig am Begräbnistag der Stechardin gestorben war, *schlafen auf derselben Stube*. Kummer und Schlaflosigkeit zogen ihm schließlich eine Krankheit zu, die ihn seinen Worten nach an den Rand des Todes brachte. Die Zeit entfernte ihm zuletzt von selbst das Peinigende und hinterließ bloß *eine nicht g a n z u n a n g e n e h m e melancholische Empfindung bei der Erinnerung an die vorigen Zeiten.*

Man bedauert ohne Zweifel, daß von seiner kleinen Stechardin kein Bild existiert, und ist zugleich dankbar dafür, wo man um die Relativität solcher Worte wie Schönheit und die des öftern erkältende Manier der kleinmeisterlichen Konterfeis im achtzehnten Jahrhundert weiß. So bleibt aus Lichtenbergs Worten nur eine Stimmung reiner Liebesleichtigkeit und jugendlicher Anmut: ein rationalistisches Märchen von der belle et la bête, wenn man so will. Noch 1792 notierte er sich, mit drei Ausrufungszeichen und in griechischen Buchstaben, den zehnjährigen Todestag der Stechardin: da war er ein verheirateter Mann.

Nach dem Tod der kleinen Stechard lebte Lichtenberg wohl weiter und für Dritte so als wäre nichts gewesen, ging *die Maschine wieder, wie lange, das weiß der, dem es gefallen hat, ihren Gang zu zerrüt-*

ten. Aber fast ist man versucht zu sagen, daß mit der Stechardin eine glückliche Dosis schöpferischer Ruhe, heiteren Gelingens von ihm gegangen sei. Als sein Mädchen auf den Tod lag, schrieb er für den Kalender — und er wundert sich, daß nicht ärgere Fehler darin stehen — seine *Kurze Geschichte einiger der merkwürdigsten Luftarten,* wie man seinerzeit die Gase nannte. Schon im Mai 1782 hatte er dem Freund Wolff mitgeteilt, er *habe seit einiger Zeit die Elektrizität etwas liegen lassen* und beschäftige sich *dafür mit den herrlichen Erscheinungen, welche die Entdeckungen mit den Luftarten gewähren.* Sein Verdienst liegt, wie schon Kästner 1790 rühmte, in der Einbeziehung der neuen Luftarten, zu deren Entdeckung und Darstellung Priestleys Untersuchungen seit kurzem führten, in die Physik. Im Sommer 1783 las er über sie ein zusammenfassendes Sonderkolleg und beschloß am 12. Februar 1784 seine Vorlesungen über die künstlichen Luftarten, bei denen er, nach seinem Geständnis, noch immer wieder Dinge *wie neu anstaune,* ob er sie gleich über zehnmal gesehen hat. Noch Mitte der achtziger Jahre macht er Versuche mit dem Knallgas, in Klub und Auditorium: *... wenn irgend jemand Fremdes erschrickt, so sagen die Leute: Oh de Professor scheit.* Er regte seine Freunde zur Beschäftigung mit dem reizvollen Gegenstand an, sandte ihnen Sauerstoff, dephlogistisierte Luft genannt, so zahlreich in Bouteillen, daß die Flaschen wie die Eimer in den Ziehbrunnen zwischen Göttingen und Hannover pendeln. Im Laufe des Jahres 1782 machte und beschrieb er Versuche mit Phosphor in dephlogistisierter Luft; mit einer Sackuhrfeder, die er in Sauerstoff wie einen Bindfaden abbrennen ließ: zwei Versuche, die ihm für das Auge die schönsten, die *herrlichsten Schauspiele* im Leben waren — wenn er sich gleich dabei die Finger verbrannte.

Unter seinen Vorlesungsexperimenten über das spezifische Gewicht der flüssigen Materien hatte er bereits 1782 auch den von Black unmittelbar nach der Wiederentdeckung des Wasserstoffs im Jahre 1766 angeregten, von Cavallo 1781 mangelhaft inaugurierten Versuch vorgeführt, Seifenblasen mit reinem Wasserstoff — der sogenannten inflammablen Luft — zu füllen, *die mit so großer Geschwindigkeit aufstiegen, daß sie sich oft vom Rohr losrissen, ehe sie noch die Größe hatten, die ich ihnen geben wollte.* Von da bis zu dem ersten mit Wasserstoff gefüllten Ballon des Physikprofessors Charles, der am 27. August 1783 aufstieg, war für einen Kopf von der Beweglichkeit Lichtenbergs kein weiter Weg. *Im Scherz habe ich wohl unter guten Freunden gesagt, diese Erfindung hätte ich machen können,* schrieb er im Herbst 1783 an Dieterich. Da hatten sich in das Goldene Buch der Erfinder eingeschrieben: die Brüder Montgolfier, deren Heißluftballon am 5. Juni 1783 auf 2000 Meter gestiegen war. Am 19. September stiegen Ente, Hahn und Hammel, am 21. November die ersten Menschen in den Himmel, der Marquis d'Arlandes und Pilâtre de Rozier, der 1785 das erste Todesopfer der Luftfahrt wurde. *Wie werden einmal unsere Namen hinter den Erfindern des Fliegens u. d. g. vergessen werden,* vertraute Lichten-

*Lichtenberg-Medaillon von dem Bildhauer Möller aus Hannover,
für die Fürstenberger Porzellanmanufaktur gefertigt. Um 1783.*

berg mit peinigender Hellsicht seinem Merkbuch an. Nachdem die
Erfindung einmal gemacht war, mußte er sich begnügen, sie mit
Worten zu kommentieren, mit Werken zu wiederholen. Am 20. No-

vember 1783 gelang es ihm endlich, auf seiner Stube, anderntags im Collegio *eine außerordentlich große Schweinsblase, 14 Zoll hoch und 10 Zoll weit, zum Steigen zu bringen.* Schweinsblasen an Stelle des französischen Tafts, das Amnium von Kälbern, von zwei Kindern gar, ihm von einer Hebamme überlassen, wählte er als Material. Eine wahre Gesellschaft nannte er so Luftblasen in einem Brief an Sömmering. Sicher führen Lichtenbergs Versuche, während Montgolfier und Charles am Anfang der Geschichte des modernen Luftfahrzeuges stehen, viel mehr zu jenem geschichtslosen Spielzeug der Kinder, legt man seine Schilderung zu Grunde. Dafür entdeckte er als einziger — und alle Kinderseelen würden ihm recht geben — das bizarre Eigenleben einer solchen Blase: *...wenn ich mit meinem Schlafrock an ihr etwas schnell vorbei ging, so hob sie sich gleich wieder und folgte mir. Überhaupt schlich sie auf eine so seltsame Weise in der Stube herum ganz ohne zu rollen, bald an der Erde hüpfend bald wieder ganz schwebend, so wie sie ein Zuglüftchen traf, immer mit der Spitze nach der Erde gekehrt, daß allen Leuten, die es sahen, notwendig ein Gespenst einfallen mußte, und ich glaube, man könnte jemanden, der ein Nachtlicht brennte und furchtsam wäre, mit einem solchen Ding den Tod an Hals schrecken.*

Anfang Dezember 1783 war Lichtenbergs große aerostatische Maschine fertig, ein *prachtvolles Ding*: sechs Fuß hoch und vier dick. Erst am 19. April 1784 ließ er sie im Freien steigen. Bereits am 16. Februar 1784 aber hatte er einen anderen Ballon steigen lassen, der eigentlich nur ein Kügelchen von 4 Zoll im Durchmesser war. *Den Rang im Minimo haben also die Franzosen verloren,* schrieb Lichtenberg einem Freunde. Da er dieses Kügelchens auch vor der Öffentlichkeit ausdrücklich erwähnt, verbietet sich die Annahme, er habe die Bemerkung lediglich scherzend getan. Hinter dem rührigen Göttinger Kleintreiben und Lichtenbergs Gelehrtenexistenz steht eine ganze zeitgenössische deutsche Misere. Der Vergleich mit Frankreich ist niederschmetternd. *Hätten wir nur mehr reiche Physikliebhaber oder mehr reiche Faulenzer,* hatte Lichtenberg hinzugefügt, *so sollten sie ihn auch im Großen verlieren.* In der Tat ist den französischen Gelehrten die Anfertigung ihrer kostspieligen Maschinen nur durch eine Subskription zumal in den Kreisen einer lebhaft interessierten Aristokratie möglich gewesen. Lichtenberg bezahlte, wie immer, alles aus der eigenen Tasche. Statt einer den fähigsten deutschen Forscher anspornenden Dotierung sieht man lokalpatriotische Dilettanten in Gotha, Leipzig, Kassel und Hannover um die Ehre eifern, den ersten deutschen Ballon zu starten. Der Mangel, das Kleinformat, die Enge: zur Füllung der großen Maschine benötigt Lichtenberg sein Auditorium als den einzigen Raum, der in Frage kommt, aber erst zu gebrauchen ist, wenn Kollegschluß und Ferien sind. Es kommt eine da noch von Lichtenberg nicht begehrte Vereinzelung hinzu. Im März 1783 klagte er Schernhagen sein Leidwesen über die elende Göttinger Welt, die lauter *Stolz, Besoldungsvermehrung und Büchergeschwätz* ist, deren Un-

Füllung des ersten Gasballons in Paris am 27. August 1783

terhaltung Stadtgeschichten oder Vademekums-Histörchen sind. Das große Glück der vierzehn Tage gemeinsamen Forschens mit dem alten Freund Forster und dem neuen Freund Sömmering im Oktober 1783 ließ desto schmerzlicher seine Isolation in Göttingen empfinden.

Aus solcher bedrückenden Enge und aerostatischen Kleinmeisterei entführt sich Lichtenberg durch den Aufsatz im Magazin von 1784: *Vermischte Gedanken über die aerostatischen Maschinen*, mit denen er in eine janusköpfige Zukunft teils scherzend und zum Teil ernstlich ausschweift, wozu die Luftballons nützen können. In einer findigen Liste von 25 Posten denkt er an ihren Wert bei aller Art von meteorologischen Beobachtungen; eine Kugel, groß genug, Menschen zu tragen, hat ihm unabsehbar strategischen Nutzen, *Armeen zu rekogniscieren, Terrain aufzunehmen und für die Schlacht zu besehen.* Tatsächlich verwendete die Armee der französischen Republik, nachdem die Luftballons und Luftschifferei inzwischen unvermerkt aus der Mode gekommen waren, in den neunziger Jahren Ballons auf ihren Feldzügen, was Wieland 1797 eine beklemmende Vision schien. Lichtenberg sann aber auch auf eine friedliche Maschine zum modernen Transporte dichterischer Einbildungskraft: *Daß sich die Seele erhebt, wenn der Leib erhoben wird, ist demonstriert, so wie wenn der Leib stürzt, die Seele gemeiniglich auch nicht zurücke bleibt. Prof. Charles hat vielleicht nie gedichtet, wer aber den Brief liest, worin er seine Empfindungen beschreibt, wird eine dichterische Erhebung der Seele darin nicht verkennen. Man bedenke auch nur das Atmen der Alpenluft, das Baden, Plätschern und Schwimmen im Lichtmeere und in Gesellschaft der Morgensterne, während die Hälfte der Welt unter einem noch im Schlamme der Nacht ruht.* Lichtenberg erfuhr ein großes Glück, kurz vor seinem Tode noch als Leser jenen Dichter kennenzulernen, der durch sein Wort bewies, wie prosaisch die tatsächliche Erfindung der Naturwissenschaftler gewesen. Das ist Jean Paul! *Haben Sie wohl die Stelle in dem Campanerthal gelesen, wo Gione in einem Luftball aufsteigt,* frug Lichtenberg im Jahre 1798 einen Bekannten. *Ich kann mich nicht erinnern, daß seit langer Zeit irgend nur ein Bild einen so hinreißenden Eindruck auf mich gemacht hat.*

Etwas über ein Jahr nach der Stechardin Tod, am 15. September 1783 — das Jahr, in dem er vermutlich seine spätere Frau kennenlernte —, teilte Lichtenberg seinem Freund Schernhagen ein paar kuriose Fakten seines Körpers und Kopfes mit: *Ich weiß nicht, ich bin schon seit 8 Tagen mit entsetzlichen Kopfschmerzen in dem linken Nackenknochen geplagt, die zuweilen so zunehmen, daß ich mich gar nicht zu fassen weiß, und dann habe ich wieder etwas Ruhe... Was daraus werden will, kann ich in Wahrheit nicht sagen. Es ist gar besonders, ich schlafe gut, mein Appetit ist auch nicht schlechter als sonst, nur merke ich, daß ich stark abnehme. Sehr sonderbar ist es ebenfalls, daß mein Gedächtnis sich völlig verjüngt hat, es* sind mir Namen von ganz unbeträchtlichen Menschen beigefallen, die ich oft um mein Gedächtnis zu üben, wenn ich nicht schlafen konnte, vergeblich gesucht habe, und zwar fielen sie mir so leicht bei, als wenn sie mir eingegeben würden. Diesen letzten Umstand wollte ich gerne e r t r a g e n , wenn nur diese Empfindlichkeit nicht mit so großen Schmerzen verbunden wäre. Es handelt sich hierbei um Lichtenbergs älteste ausführliche Notiz von jenen sonderbaren Zuständen, die sein letztes Lebensjahrzehnt zum Martyrium machen sollten. Bis dahin hatte Kränklichkeit zu den peniblen, aber doch nicht zu den ihn verheerenden Dingen seines Lebens gehört. Man gewinnt aber in diesen achtziger Jahren den Eindruck, als wenn seine Energie davon mehr und mehr mürbe gemacht werde, er immer häufiger auf seelische und geistige Schlappen mit Krankheit antworte, jede Anspannung mit unmäßiger Ermattung zu bezahlen habe. Im Januar 1784 behauptet er, wirklich auf den Tod gelegen zu haben, im Februar, in siebzehn Jahren nicht so krank gewesen zu sein; im September konstatiert er, daß ihm seit der letzten Krankheit die Haare entsetzlich ausfallen. Reisen, schrieb im Frühjahr 1785 Lichtenberg an Freund Amelung, macht mich gesund, das weiß ich aus Erfahrung. Der leidende Zeitgenosse wußte es mindestens aus zahllosen Büchern: Diätetiken und Romanen. Das Reisen war das empfohlene Mittel gegen alle Hypochondrie. Aber Lichtenberg blieb versagt, es zu nehmen.

Schon zu Anfang der Bekanntschaft mit Ljungberg war er mit ihm übereingekommen, dereinst eine gemeinsame Reise in den Süden zu tun. Bei einem Besuch des Freundes 1778 in Göttingen wurde der Entschluß erneuert. Im Spätherbst 1784 schien der beständige Sonntags-Gedanke Wirklichkeit werden zu wollen. Am 10. Oktober hatte er die hannöversche Regierung um Reiseerlaubnis auf ein halbes Jahr gebeten. Sein Gesuch enthielt fast die gleichen Argumente für Italien, die er zehn Jahre zuvor für England geltend gemacht hatte. Es redet, bittet da, verständlicherweise, nur der Professor, der sich in dem europäischen Land fortzubilden sucht, wo nächst England und vielleicht noch vor England Physik zu blühen scheint. Am 15. Oktober wird Lichtenberg ein sechsmonatiger Urlaub erteilt

Samuel Thomas
von Sömmering
(1755—1830)

Johann Gottwerth Müller von
Itzehoe (1743—1828)

und die Besoldung auf ein Jahr
vorausbezahlt. Niemals vorher
war sein ganzes Wesen: *Verstand, Herz, Einbildungskraft* so
zu einem *Jawort* gestimmt gewesen. Da erfährt er, daß Ljungberg
von der dänischen Regierung in
Kopenhagen keinen Urlaub erhalten habe. *Als ich die Nachricht
erhielt*, schreibt er daraufhin an
Müller von Itzehoe, *ich glaubte,
ich würde niedersinken. In der
Tat, ob ich gleich nie närrisch gewesen bin, so weiß ich doch jetzt,
wie es einem ist, wenn man es
werden will, und das ist das einzige, was ich bei der Sache profitiert habe. Ich hatte mich über 9
Wochen auf die Reise präpariert,
ich fühlte schon die klassische Er-*
de unter meinen Füßen, passierte mit dem Cäsar den Rubicon, mit
dem Hannibal die Alpen und mit dem Konstantin die Brücke, wo
das heilige Kreuz am Himmel stund. Ich stieg zum Capitol hinauf, betastete die Schiffsschnäbel und mir schwindelte am tarpejischen Felsen. — Im zweiten Akt erschien der Laokoon, der Apoll
im Belvedere und die mediceische Venus zu Florenz; alle Wände
waren mit Raphaels und Correggios behangen. — Im dritten bekletterte ich den Vesuv, ging auf den pontinischen Sümpfen spazieren, die neulich abgebrannt sind, sah den Styx und die Hundshöhle und wandelte in Alleen von blühenden Aloë- und Apfelsinenbäumen — und auf einmal, als wenn der Blitz einschlüge, war nichts
da für den ganzen Winter als Göttingischer Schnee, Schlittengeläute
und magere Hyazinthenzwiebeln an meinem Fenster* ... Und dabei
blieb es. Aus der nur aufgeschobenen Reise, weil Ljungberg keinen
Urlaub bekam, wurde 1785 eine vereitelte Reise, weil Ljungberg
erkrankte, Sömmering und Müller von Itzehoe nicht zu bewegen
waren. Wie der Stechardin Tod wird das Zunichtewerden der Italienreise — *Diesen Winter hat mich ein seltsames und hartes Schicksal verfolgt* — möglichst vielen Freunden mitgeteilt.

Der letzte Versuch zu einem Ausbruch aus Winter und Enge und
ermüdendem Tagwerk scheiterte und hinterließ: einen Kranken, der
aus Gram Kinderleiden bekam, und voll des Aberglaubens. An die
Stelle des Reisens oder wenigstens zukunftsfrohe Pläne machenden
Schaulustigen trat 1786 der Lichtenberg, welcher von seinem *jetzigen angebundenen Auster-Leben* redet, sich 1787 für die Jubelfeier
zum fünfzigsten Geburtstag der Universität krank schreibt, den Besuche entnerven, der selbst sich fast aller *Aktiv-Visiten* begibt, seinen Schlafrock als sein *Gala-Kleid* bezeichnet. Der Gießener Profes-

sor Crome berichtet von einem Semesterschluß im Herbst 1788; er
wartete auf Lichtenberg in einem Zimmer, dessen Tür unmittelbar
auf den Katheder führte: «Wie die Zuhörer aus einer anderen Türe
hinausgingen, kam L. auch von seinem fünf Stufen erhabenen Lehr-
stuhl herab und fiel seinem Bedienten ohnmächtig in die Arme, der
ihn schnell auf das Canapee hinstreckte. Ich wollte mich entfernen,
weil ich glaubte, L. bekäme Convulsionen, und lästig zu sein fürch-
tete; der Bediente versicherte mir aber, daß dieser Zustand jedesmal
nach den Vorlesungen eintrete und immer schnell vorübergehe...»
Im Februar 1793 schrieb ihm begeistert ein Freund aus Rom: «Wie
wohltätig die Sonne unsern Körper erwärmt in einer Jahreszeit, da
man gewohnt war, in Dünsten eingehüllt zu frieren, ist eine Erfahrung, die man selbst machen muß.» Man kennt Lichtenbergs Empfindung und Antwort darauf nicht. Wenn nun das Bild von dem
Lichtenberg im Gehäus über die Zeiten lebt, sollte man gleichwohl
nicht vergessen, daß er nur widerwillig sich in diese Existenz gefunden hat, ohnmächtig, resigniert.

NÖTIGE DIGRESSION ÜBER GEWITTERFURCHT UND BLITZABLEITUNG

... et is en Grummel in der Lucht ...

Lichtenbergs Forschung ist, in dem Spiegel seiner Briefe, Notizen,
Schriften, ein beglückender Gewinn an Umwelt. Welch eine Fröhlich-
keit war in dem schwächlichen Manne kraft des Gefühls, auf den
richtigen Wegen zu sein. Es hat etwas von einem Trauerspiel, daß
keiner ihn an das Ziel führte: etwas ersonnen, entdeckt zu haben,
was ihn berühmt und nützlich gemacht hätte. Nirgends spiegelt sich
das besser als an einem Gegenstand, den Lichtenberg im Gegensatz
zu allen anderen Unternehmen zeit seines Lebens verfolgte. Das ist
die Lehre von der Natur des Blitzes und ihre Nutzanwendung auf
das Gemeinwesen. Die eingehendere Betrachtung ist um so mehr ge-
rechtfertigt, als sie einmal wenigstens Gelegenheit gibt, Lichtenberg
ganz abzubilden, nicht: erst Mensch, nun Autor, dann Gelehrter.
Lichtenberg war zehn Jahre alt, als in Amerika nach Franklins An-
weisungen die ersten Strahlableiter, wie man damals sagte, errichtet
wurden, in Europa 1754 von dem Pfarrer Procopius Diwisch in Mäh-
ren. Schwerlich hat das achtzehnte Jahrhundert eine Erfindung stärker akklamiert und segensreicher empfunden als Franklins Wetterschutz. Bei seiner Aufnahme in die französische Akademie begrüßte
ihn d'Alembert mit dem lateinischen Hexameter als den Mann, der
dem Himmel den Blitz entriß!
Lichtenbergs Stellung ist in dem Augenblick, als er zu lehren beginnt, festgelegt. Die aufsehenerregende Entdeckung und wohltätige
Erfindung scheinen gemacht; der Lorbeerkranz ist vergeben. Zu sei-

nen Aufgaben als Lehrer für Experimentalphysik gehört die Wiederholung schon historisch gewordener Versuche zur Elektrizität der Luft. Er kann solche Versuche vervollkommnen, und er tut es. Aber er erkennt dabei, daß zwischen wirklicher Naturentladung und den von Physikern daheim erzeugten *Foudres de poche* ein bedeutender Abstand ist und unerlaubte Hypothese alles, was aus solchen Taschenblitzen *auf den Wetterstrahl des Jupiter* schließen will. Weil noch etwas *an unserer, sonst zu einem hohen Grad von Vollkommenheit gediehenen Theorie von den Donnerwettern* fehlt, wird er bis auf weiteres lieber *der Erfahrung folgen.* Die Erfahrung, von der er dabei ausgeht, ist aber wohlgemerkt ureigener Natur des Menschen, ist die Furcht vor Gewittern. Bemerkungen Lichtenbergs zu dem Gegenstand, in seinem Nachlaß bewahrt, leiten dieses Motiv ein. *Die Furcht ist bey vielen Menschen nicht blos moralischen, sondern physischen Ursprungs,* heißt es dort. Ein erstes Zeugnis von der starken Beeindruckbarkeit Lichtenbergs lieferte die Schilderung des Erdbebens. Studenten berichten, daß er bei herannahenden Gewittern ängstlich wurde und gehemmt im Vortrag und aus diesem Grunde seine Vorlesungen öfters abbrach. Furcht einerseits, Ehrfurcht vor dem großen Schauspiel andererseits sind die in dem Menschen Lichtenberg sehr tief begründeten Ausgangspunkte, sich dem Phänomen zuzuwenden. Er vergißt darüber nie den getreuen, den dreisten Beobachter und Philosophen. Aber der Professor leugnet ebensowenig den Menschen.

Liest man seine Briefe, muß man glauben, daß es im achtzehnten Jahrhundert unentwegt und allenthalben gedonnert und geblitzt habe. Er sammelt regelrecht Donnerwetter, simple und kuriose, Land- und Stadtgewitter. Zu den Beiträgern zählen seine Brüder in Gotha und Darmstadt so gut wie befreundete Pfarrer, Kriegsräte, Sekretäre, Baumeister — selten ein Kollege! Jede Benachrichtigung wird freudig quittiert. *Für die Geschichte von dem Osnabrückischen Blitz danke ich ergebenst* heißt es dann oder: *Die Nachricht von Ihrem Donnerwetter war mir so angenehm als fürchterlich.* Meldungen von Zürich, Dresden bis nach England, *genaue Beschreibungen des Wegs, den der Blitz an Körpern genommen,* an Gebäuden eingeschlagen hat, Relationen zwischen einem Wetterschlag und der zeitgenössischen Ableiterstange werden sorgsam in Lichtenbergs *Sparbüchse geworfen.* Aus der Sammlung und dem Vergleich, der Sichtung zahlloser an ihn herangetragenen Beobachtungen schafft er so die Voraussetzung, am Ende einen wissenschaftlich haltbaren Schluß zu ziehen. Schon 1779 ist er imstande, einem Freund in Hannover *eine nach Kräften vollständige Erläuterung über diese wichtige Materie zu geben,* scheint es ihm ausgemacht, daß, obgleich *die Erfindung der Blitzableiter schon eine geraume Zeit gemacht worden* ist, doch *ihre Einrichtung aus Mangel an hinlänglichen Erfahrungen bisher noch immer sehr unvollständig* blieb und ihre Form und Anlage größtenteils *nach einer noch unvollkommenen Theorie* bestimmt wurde. Das jüngste einschlägige Beweisstück hat er bei der Hand: Auf einem kö-

*Benjamin Franklins Experiment vom Juni 1752, das die Identität
von Blitz und Elektrizität nachwies. Lithographie von Currier und Ives*

niglichen Pulvermagazin in Essex wurde 1772 *von einer Kommission
von Naturkündigern, worunter Dr. Franklin noch selbst befindlich
war, ein Ableiter errichtet, der in einer mitten auf dem Rücken des
Daches befestigten eisernen Stange bestand, und im Jahre 1777 den
15. Mai wurde es vom Blitz getroffen ...* Auch Franklins Genie
schützt nicht vor dem Irrtum einer angewandten Theorie. Lichtenberg ist der erste Gelehrte seiner Zeit, der von jenem Blitzableiter in
Gestalt eines *alten Bratspießes* abrät.

Aber Lichtenberg denkt nicht daran, seine Mitteilungen in ein
Buch zu bringen. Das überläßt er, spöttelnd, den *Sancti Electrophori,*

zu denen etwa auch sein Bruder in Gotha zählt. Das Bücherschreiben überläßt er, hochachtungsvoll, dem Arzt Johann Albert Heinrich Reimarus in Hamburg, der sich auf die Bekämpfung von Blitzen spezialisierte. Lichtenberg schreibt sich mit ihm und gesteht ihm einmal, daß er in allen seinen Schriften — das größte Kompliment, das höchste Prädikat, das Lichtenberg verlieh — *außer der Gelehrsamkeit, die sich durch Fleiß erwerben läßt, den Geist finde, ohne den Alles Wissen ein weit elenderes Flickwerk ist als unsere Weissagungen und den man sich leider nicht geben kann, ich meine den alles durchaus mit wohltätiger Kraft belebenden bon sens, der mir z. B. Franklins Schriften zur unterhaltenden Lektüre macht, sie mögen nun die Einrichtung eines neuen Freistaats oder die Kur von rauchenden Kaminen betreffen.* Und er ist bescheiden genug, von seiner *sehr geringen eignen Erfahrung in der Materie* zu reden, während er lange Zeit, wird er um Rat gefragt, auf jenes Buch des anderen zu verweisen pflegt.

Der *methodische Professor* geht wie ein erster Feuilletonist dem Phänomen nach, auf die umliegenden Dörfer, an den Tatort eines Unwetters: *Allein unsystematischere Blitze habe ich in meinem Leben nicht gesehen. Wenn der selige Münchhausen noch gelebt hätte, so wären sie gewiß anders ausgefallen, es war gar nichts dran zu lernen... Nach der Idee, die ich mir von einem Universitäts-Donnerwetter mache, sollte der Blitz deutlich angeben* erstens, zweitens, drittens: *Es scheint aber, der Himmel bekümmert sich wenig um unsere Compendia.* Wenn Lichtenberg will, macht er aus nüchternem Referat eine angewandte Satire auf den zeitgenössischen Gelehrten wie hier oder eine übermütige Kurzgeschichte auch wie bei Gelegenheit des Donnerwetters von Wandsbek, entblößt er gar leichthin die knistrige Affinität von Weibern und Wettern, wenn er, unter Freunden, verrät: *In Weende wurde eine sehr schöne Frau vom Blitz umgeworfen, und daher wollten einige schließen, der Blitz habe Absichten gehabt und sei deswegen von unten gekommen, weil die Weiber nur allein von unten einnähmen, Orakelsprüche wie die Delphische Pythia oder... wie die Göttingischen... und die Osnabrückischen Mädchen, ich leugnete aber dem, der das sagte, majorem schlechtweg und sagte, was die Mädchen von unten einnähmen, sei in dubio allemal positiv, und so war die Sache so ungewiß als vorher...* Sind es hier Histörchen zu Gewittern, mit denen er dienen kann, ist es 1783 die Geschichte des Blitzableiters selbst, in die er sich mit dem bedeutenden Göttinger Orientalisten Johann David Michaelis vertieft, *Absicht oder Folgen der Spitzen auf Salomons Tempel* bedenkend. Aber genauso behende, wie ihn seine Einbildungskraft von dem Anlaß seiner Forschung ausschweifen macht, so leicht läßt sie Lichtenberg ein phantastisches Gebilde entwerfen, das gegen die phantastischsten Gewitter gefeit wäre. Das ist ein wie von Jean Paul verschnörkelter, scherzend angebrachter Wetterschutz. Aber der Physiker weiß, wie weit seine Phantasie gegründet gehen kann. Schon 1779 hatte er als die *vollkommenste Blitz-Ableitung* ein metallenes Dach

Johann Albert Heinrich Reimarus (1729—1814).
Gemälde von Feigel, 1808

genannt, *das die Erde berührte und selbst mit der in die genaueste*
Verbindung gebracht wäre. Dem Gedanken gab er in der Folge mehrmals nach, Spiel-Raum im eigentlichen Sinne. Damit der Blitz in keinem Fall das Haus, sondern stets die Armatur treffe, rät Lichtenberg nun, *die Häuser unter Käfige zu setzen, mit einer Spitze. Ein*
solcher Pavillon in einem Garten z. E. müßte herrlich aussehen...
Das Eisen könnte allerlei Verzierungen enthalten z. E. einen Jupiter,
dem ein Professor der Physik den Blitz auspisset. Das ist eine herrliche Parodie auf den emphatischen Hexameter d'Alemberts! Be-
nimmt man seinem Vorschlag die krause Einkleidung, bleiben die
heute als der tatsächlich idealste Wetterschutz anerkannte großflä-
chige Ableitung, das ernüchternde, aber ebenso ungefährdete Gehäu-
se eines Gasometers und Öltanks übrig. Lichtenberg hatte eine prä-
zise Einbildungskraft. Wohlüberlegt war stets sein Spaß in Dingen
seines Faches, aber was gehörte nicht zu seinem Fach!

Ernstlich ließ Lichtenberg vorerst andere schreiben. Er las, dachte
nach und machte weniger Worte als beispielgebende Sachen. Im Mai

1780 hatte er auf seinem Gartenhaus in der Stadt einen Ableiter errichtet. Es war ihm keineswegs nur um den Blitzschutz zu tun, sondern ebensosehr darum, Beobachtungen über Luftelektrizität anzustellen. Zu diesem Zwecke war der Ableiter isoliert vom Dach bis zu einem Fenster geführt, wo man ihn von der Erdung abschalten und ins Zimmer führen konnte. Unter allen Personen, *aus deren Nachbarschaft ich mit Gottes Hilfe den Blitz verbannt habe,* war es lediglich die Jungfer Koch, Kästners Haushälterin, die ihm dafür dankte. *Die andern, zumal die, die in den kleinen Häusern wohnen, haben mir statt Rosen Flüche zugesandt.*

Es blieb nicht bei dem einen Bau. Lichtenbergs Ruf als Physiker in Deutschland brachte es mit sich, daß man ihn zum Schiedsrichter bestellte und seine Meinung erbat: Rezensionen zu schreiben verstand sich von selbst. *Ganz nach Wissen und Gewissen* liefert er die Gutachten für eine Stadt in Süddeutschland, für das hannöversche Konsistorium auf ministerielles Geheiß, sichtet er 1789 Akten, *einen Streit des Magistrats und der Universität einer- und einem gewissen Herrn von Baczko andrerseits, einen von erstern angelegten Blitzableiter betreffend, den der letztere in seiner Beschreibung von Königsberg öffentlich getadelt. Es ist dieses ein sonderbarer Streit, die Schriften der ersten Partei sind auch von Kant unterzeichnet!*

Der *Ketzer* Lichtenberg äußerte sich zuerst Ende der achtziger Jahre in einem Privatissimum über die Materie und 1790 in einem Gutachten, um das ihn Gleim im Namen des Halberstädter Domkapitels gebeten hatte, in der Absicht, eine gotische Kirche zu armieren, die in ihrer dreihundertjährigen Geschichte noch von keinem Blitz getroffen worden war. Das brachte Lichtenberg in den Ruf, daß eine Revolution in seinen Meinungen vor sich gegangen sei und er gar nichts mehr von Blitzableitern halte. Dem daraufhin beunruhigten Reimarus stellte Lichtenberg jedoch 1792 klar: *... es ist eigentlich nur deutliche Entwicklung und dezisiveres Geständnis dessen, was ich schon immer als Zweifel dem gewöhnlichen Vortrage mit eingemischt hatte.* Darüber im Kalender zu berichten, erübrigte die letzterschienene, das Hauptsächliche verhandelnde Schrift des Reimarus. *Was ich etwa noch zu sagen habe, ist dieses. Wir wissen von der Natur des Blitzes nur folgende beide Sätze mit Gewißheit. 1) Er ist etwas Elektrisches, 2) Wenn er eine ununterbrochene Strecke Metall antrifft, so folgt er ihr, leitet man also diese nach der Erde, so geht er auch dahin.* Das sind die einzigen unstrittigen Sätze, die ihm, vierzig Jahre nach Franklins Pioniertat, feststehen. Ähnlich wie im Physiognomen-Streit reduziert Lichtenberg unbeirrbar das Gebäude schöner Fortschrittsgläubigkeit der Zeitgenossen auf zwei nun sich wie von selbst verstehende Stützen. Aber mit ihrer Hilfe errichtet er 1794 auf seinem letzten Garten vor der Stadt den diesem Grundsatz angepaßten Blitzableiter mit Bleistreifen auf dem Dach die Wand herab zur Erde: den im Prinzip modernen Ableiter. Und er erfindet ihm noch obendrein den neuen, lichtenbergschen Namen *Furchtableiter!*

Die gemeinnützige Anwendung seines Lehrsatzes — sieht man davon ab, daß es seinem Anraten zu danken ist, wenn 1795 die Gebäude der Göttinger Universitätsbibliothek Schutz gegen Blitzgefahr erhielten — erlebte er so wenig wie die Verwirklichung der revolutionären Forderung: *Allein ich bestehe mit alter Strenge auf schicklicher Armierung der Häuser ohne Provokation des Blitzes, ja sie sollte von der Polizei eingeschärft werden bei jedem neu zu errichtenden Hause; man müßte sie beim Bau mit einakkordieren...*

Der ideale Wetterschutz. Handzeichnung und Brief Lichtenbergs an Franz Ferdinand Wolff, 1. Dezember 1783

Lichtenbergs Gartenhaus an der Weender Landstraße

EINE REVOLUTION VON 1789

> *Krankheiten der Seele können den Tod nach sich ziehen, und das kann Selbstmord werden.*

Am 5. Oktober 1789 erlebte Frankreich nach einem tumultuarischen Sommer den Aufstand seiner Hauptstadt, in dessen Verlauf der König und die Nationalversammlung genötigt wurden, von Versailles nach Paris überzusiedeln. An demselben Tag, *da die Revolution in Frankreich ausbrach*, ist, wie Lichtenberg 1794 kurz nach dem französischen Nationalfeiertag dem Freund Müller von Itzehoe mitteilte, eine höchst merkwürdige in meinem Körper ausgebrochen. Er wurde morgens um fünf Uhr von einem *krampfigten Asthma befallen, das ihm über vier Wochen hintereinander fast täglich mit Ersticken droh-te.* Das Allgemeine und das Private, politische Revolution und Aufstand eines Leibes in eine irritierende Beziehung zu setzen, ist eine kühne Gleichung aus der tieferen Mathematik des privaten Lichtenberg. Ist sie darum schon vermessen? *Die Welt ist ein allen Menschen gemeiner Körper,* notierte er sich schon 1769, *Veränderungen in ihr bringen Veränderung in der Seele aller Menschen vor, die just diesem Teil zugekehrt sind.* Das verheerende Erlebnis der älteren Generation war das Erdbeben zu Lissabon von 1755 gewesen: angetan, den Glauben zu erschüttern. Das bewegende Ereignis der Menschen vor der Jahrhundertwende stellt, mit allen ihren Vorwehen und Weiterungen, die Französische Revolution dar: sei es abwehrend, sei es bejahend, sie zog den Zeitgenossen in ihren Bann, in Wirrnis und Entgeisterung. Zu den Wahnideen des alten Zimmermann gehörte, daß er als Aristokrat von neufränkischen Revolutionären verfolgt werde. Lichtenberg träumt einen Angsttraum von der Belagerung der Stadt Mainz. Er hütete sich wohl, so Unausdenkbares zu Ende zu denken. Aber er beobachtete aufmerksam und fand es denkwürdig genug, wenn partielle Sonnenfinsternis und partielle *Geistesverfinsterung* des englischen Königs zusammenfielen, ein Ko-

Das Innere des Gartenhauses

Johann Wilhelm Ludwig Gleim
(1719—1803)

met aufkam, als sich der Prozeß Ludwigs XVI. zu Ende neigte, und gleich nach der Hinrichtung verschwand.

Verdiente jene Krankheit aber so viel Aufhebens? Er hatte nur zu recht, von einer Umwälzung zu sprechen, denn nach jenem ersten Anfall im Oktober wurde er *bettlägerig, lag im strengsten Verstand ein geschlagenes Kalenderhalbesjahr von 365/2 Tagen, lebte in demselben größtenteils von Arzneien, machte mich zwar wieder heraus, aber wie? Es* folgt die für Lichtenberg, der sich auf Zustände und Krankenlager verstand, selbst bestürzendste Bestandsaufnahme: *Wahrlich unser verklärter Leib, am Tage der Auferstehung, kann von dem eingescharrten Madensack nicht so verschieden sein, als es der sich herausmachende Hofrat von dem vor 365/2 Tagen zu Bett gebrachten war, nur mit dem mächtigen Unterschied, daß der verklärte im Bett blieb und der Madensack aufstund. Meine Munterkeit, meine Furchtlosigkeit, meine Sorgenlosigkeit, meine Liebe zum Leben und Schreiben wenigstens für mich selbst, Tätigkeit überhaupt, alles das blieb im Bette und ist nun fort. Mein ganzes Leben kömmt mir jetzt so unzusammenhängend mit sich selbst und mit dem vorigen Teil vor, daß Sie es kaum für den Index darüber halten würden, wenn Sie es mit meinen Augen sähen.* Wie die Neufranken beginnt er danach eine neue Zeitrechnung. In dem Tagebuch zählt er präzis die mehreren Anfälle seit Oktober, die Wochen seiner Matratzengruft bis in den Mai hinein: *...übermorgen liege ich gerade 12 Wochen, ...heute sind es gerade 16 Wochen ...morgen ist es ein Jahr, daß mich meine unselige Krankheit befallen hat,* heißen Daten seiner Briefe, die zu eigentlichen Bulletin werden und ihn 1797 vollends als *in der Hypochondrie verjährt* nennen.

Im Januar nach der Erkrankung erschienen ihm die herannahende bessere Jahreszeit und Reisen als die einzige Hoffnung: auf Frühling würde er, ein anderer Rousseau, von nun an Jahr für Jahr bis zu dem Tode seine Hoffnung setzen. Reisen in dem Vokabular Lichtenbergs hieß dann nurmehr *einen ganzen Büchsen-Schuß vor der Stadt* in den Volborthischen Garten, den Dieterich im Frühjahr 1787 erworben hatte; *zu Volborths-Ruhe an der Weender Chaussee*

Ansicht von Göttingen, 1765. Stich von Joel Paul Kaltenhofer

ist er in jenen Jahren leichter zu treffen. Eigentliche Reisen scheut er als ein *gefährliches Geschäfte,* Einladungen von auswärtigen Freunden lehnt er freundlich ab. Unter Gottes Welt versteht nun Lichtenberg *die Stadt Göttingen unter Einschluß des Volborthischen Gartens.* Das heißt gewiß eine reduzierte Welt, ein erstickend enges Leben. Aber er erscheint für die Dauer eines Briefes, einer Merkbuch-Notiz wirklich ein anderer Mensch; mit wachen heiteren Augen, mit entzückten Ohren; frühlingshafter Enthusiasmus führt bisweilen seine Hand zu erstaunlichen Synästhesien, der bloße Kopf eines Briefes sagt dann mehr als viele Sätze, wo und wie der Schreiber sich befindet: *... auf dem Garten, unter Blüthen, Lusciniensang und Alaudenklang.*

Seit dem 23. März 1790 verzeichnete das Tagebuch täglich Ausfahrten, *wiewohl im Schlafrock und der Nachtmütze;* er fühlte sich soweit wieder hergestellt, daß er am 6. Mai sein Kolleg beginnen konnte. Sein Tageslauf hat eine geruhsame Gleichmäßigkeit. *Des Morgens um 4 Uhr stehe ich auf und bin um 5 Uhr, wenn es die Witterung verstattet, schon im Garten, wo ich eine Schale Bouillon, die ich aus der Prinzen Küche erhalte, ausesse und eine Stunde nachher den Driburger Brunnen trinke. Um halb 9, wenn es heiß wird, gehe ich auf mein Zimmer, lese und gehe umher bis um halb 12. Dann fahre ich in die Stadt, esse da, präpariere mich auf mein Collegium und lese von 4—5 vor gerade jetzt 106 Zuhörern, worunter 4 Grafen sind. Um 5 fahre ich in der Gegend umher und bin um 7 Uhr wieder auf dem Garten, wo ich etwas kalte Schale und Salat esse, lese und spaziere dann wieder und lege mich um 9 oder halb 10 zu Bett. Des Sonnabends und des Sonntags bin ich ganz auf dem Garten. Dieses hat geholfen, meine Heiterkeit kommt wieder, so wie Vergnügen an der Arbeit.* Begeistert schrieb er Forster aus dem August jenes Jahres, daß er seine ganze Krankheit mit Sheridan als das weiße Blatt zwischen dem Alten und Neuen Testament ansehen und sein noch übriges Leben *die Zeit des neuen Bundes* nennen wolle. In *Amintors Morgenandacht* hat sein jubelndes Einverständnis, seine

111

*Zwei Lichtenberg-Bildnisse des Zeichners und Stechers A. H. Schwenterley
Das linke Bildnis ist 1790, das rechte 1791 datiert*

heitere Resurrection vollendeten Ausdruck gefunden! Dieses einzig-
artige Stück Prosa wurde im Herbst 1790 vermutlich auf seinem *Pat-
mos* geschrieben und im Kalender für 1791 veröffentlicht.

Wie wenn einmal die Sonne nicht wieder käme, dachte Aminto
oft, wenn er in einer dunklen Nacht erwachte, und freute sich, wen▸

del. A. H. Schwenbrley Academ. Götting. Sculptor 1791.

r endlich den Tag wieder anbrechen sah. *Die tiefe Stille des frühen*
Morgens, die Freundin der Überlegung, verbunden mit dem Gefühl
estärkter Kräfte und wieder erneuerter Gesundheit, erweckte in ihm
lsdann ein so mächtiges Vertrauen auf die Ordnung der Natur und
en Geist, der sie lenkt, daß er sich in dem Tumult des Lebens so

sicher glaubte, als stände sein Verhängnis in seiner eigenen Hand. Diese Empfindung, dachte er alsdann, die du dir nicht erzwingst und nicht vorheuchelst, und die dir dieses unbeschreibliche Wohlbehagen gewährt, ist gewiß das Werk eben jenes Geistes und sagt dir laut, daß du jetzt wenigstens richtig denkst. Auch war dieses innere Anerkennen von Ordnung nichts anderes als wieder eben diese Ordnung selbst, nur auf ihn, der sie bemerkte, fortgesetzt und daher immer für ihn der höchste Genuß seines Geistes. So weit der Anfang des Aufsatzes, den Lichtenberg wieder einmal als die Arbeit eines ungenannten anderen ausgab. Man hat in *Amintors Morgenandacht* Lichtenbergs Hohes Lied auf den Spinozismus gesehen: das glückliche Zeugnis eines durch Spinozas Lehre erlangten Seelenzustandes, dessen fröhliche Gefaßtheit an den Faust in Wald und Höhle erinnert, der dem Erdgeist dankt. Ohne Zweifel hat Lichtenberg Spinoza gelesen, auch schon ehe er durch die Auseinandersetzung zwischen Jacobi und Mendelssohn in aller Munde kam, eigene Denkweise des jungen Lichtenberg wird durch Spinoza bestätigt. Man ist darum noch keineswegs berechtigt, ihn als einen, wenngleich beschwingten, philosophischen Traktat zu behandeln. *Nachzuahmen, einzuschmelzen, auch ganz zu nützen* lautet eine der Überschriften zu dem geplanten Roman, unter der er Verschiedenes von anderen Autoren rangierte. Ein von ihm eingeschmolzener, selbst auch ganz genützter Philosoph hat aber keinen Spinozisten mehr, sondern höchstens einen gerundeten Lichtenberg gemacht.

Von seiner morgendlichen Gartenlandschaft viel mehr als von Spinozismus umgeben, schrieb der Lichtenberg des neuen Bundes der *Amintor*. Ihn durchgeistet das Glücksgefühl eines, der sich dem Leben wiedergegeben fühlt, wie neugeboren denkt. *O! ich erinnere mich noch sehr wohl, wie ich beim Aufgange der Sonne empfinden sollte und wollte und nichts empfand, aber mit dem Kopfe bald gegen diese bald gegen die andre Schulter gesenkt und mit blinzenden Augen zuweilen vieles von Empfindung sprach und damit nicht bloß Andere, sondern sogar mich selbst betrog. Aber jene Empfindung kam erst in späteren Jahren und vorzüglich stark von 1790 an, da ich die Sonne öfter aufgehen sah,* trug er in das Merkheft. Wie leicht erklärt sich daher sein Versteck hinter Namen und Fiktion: hatte er nicht längst von sich bekannt, daß er eine Scheu habe, seine Sensibilität zu veröffentlichen? Es handelt sich auch dann nicht *um bloß dichterisches Aufwallen*, sondern einmal um das Glaubensbekenntnis des Naturkündigers. Wenn in jenem Herbst des Jahres 1790 ihm die reine Betrachtung der Natur zur geistreichen Anschauung Gottes wird, verdankt er es nicht einem Dogma und keiner Exegese: sein Wohlbehagen ist das Werk seiner eigenen Vernunft. *Amintors Morgenandacht* ist Lichtenbergs einziges Lehr-Gedicht, in Prosa. Es ist so fern von den nächtlichen Hymnen des Novalis wie von jenem Klopstock, der gegen 1795 noch immer, von empfindsamen Frauenzimmern umringt, des Abends seine Ode auf die «Frühen Gräber» von 1764 rezitiert. Besser nicht als durch den Anfang des *Amintor*, dessen Wort wahl wie Programm anmutet, läßt sich ihr innerer Abstand darlegen: an Stelle des von Klopstock als «Gedankenfreund» berufenen Mondes preist Lichtenberg den Morgen als *die Freundin der Überlegung*! Ihrer Klarheit antwortet die Spiegelhelle seines Wesens, der Erleuchtung seines Geistes eine kristallene Prosa, die durch sich selbst die Meinung widerlegt, daß die Aufklärung spätestens mit Lessings Tod aufgehört habe, zur deutschen Literatur Bedeutendes beizutragen, geschweige zum deutschen Denkgeist. *Aufklärung* nannte Lichtenberg einen Stich Chodowieckis im Kalender für 1792 und schrieb dazu, daß *dieses höchste Werk der Vernunft* kein allgemein verständliches allegorisches Zeichen habe als *die aufgehende Sonne.*

Man hat nie seine Anmerkung zum Lesen des *Amintor* beachtet, wo er sagt, daß man seinen Aufsatz unter anderem als eine Einleitung zu physikalischen Artikeln im Kalender ansehen kann. Ein fruchtbarer Hinweis! *Wie wenn einmal die Sonne nicht wiederkäme? fragte Amintor. Und wie, wenn sie wiederkäme, und ich sähe sie nicht mehr* beginnt sein Artikel *Über einige wichtige Pflichten gegen die Augen.* Eigene ängstliche Erfahrungen und Bezugnahme unter anderem auf Erfahrungen des Hamburger Professors Johann Georg Büsch machen übrigens und wie üblich den Artikel zu einem glücklichen Mittel der Warnung und des Unterrichts, das so erfolgreich war, daß er 1792 in Wien nachgedruckt wurde und, von Sömmering 1794 mit Anmerkungen versehen gesondert herausgegeben, noch 1819 in der fünften Auflage erschien. Was den Aufsatz für die Anschauung Lichtenbergs selbst wertvoll macht, ist abermals, wenn hier auch nur zum Auftakt, ein Bekenntnis des Naturkündigers, so spiegelhell wie der andere Amintor: *Gerechter Gott! Vom Sehenden zum Blinden, welche Veränderung! Der, der noch kaum, gleich einem Gott, den Himmel mit seinem Blick umfaßte; der Sonnen aufzählte zu Tausenden, die Quellen des Lichts und des Lebens für Geschöpfe ohne Zahl; der in einem Nu die Frühlingslandschaft mit ihren Blüten und Herden oder die Pracht der Städte oder die Wogen des stürmenden Meeres oder den Ätna und Vesuv oder Ägyptens Pyramiden übersah; der die Figur der Reiche, ja der Erde selbst maß und zeichnete — — da kriecht er nun und ertastet sich mit Mühe in Monaten den kümmerlichen Plan seiner Schlafkammer; ... der, der durch das Medium der Gebärden den Menschen im Innersten des Herzens las, hört jetzt bloßes Zungenspiel; der die Wahrheit der Worte wiegen konnte, fühlt jetzt bloß ihre Glätte, und elender, abhängiger Glaube führt die Haushaltung für Selbstüberzeugung in ewiger, ewiger Nacht!* — — Das ist Lichtenberg ganz und gar. Lichtenbergs Talent ist eigentlich sein Auge. Seine Vorlesungen der Physik sind Einführungen in die Vorschule des Sehens. Der *Amintor* wie dieser physikalische Artikel sind das Zeugnis der gesundesten Augen.

Es ist die private Tragödie Lichtenbergs — das allgemeine Trauerspiel des späten Rationalismus überhaupt —, daß er mit nicht minder offenen Augen den Zusammenbruch jenes Gebäudes leiden muß.

Es ist bewegend, zu sehen, wie er in derselben klaren Prosa jenen sozusagen Katzenjammer des Rationalisten beschreibt. Danach liest man von dem Lichtenberg in seiner Gartenlandschaft: *Blüten und Tulpen, aber innerlich alles versteinert, Kopf und Herz.* Lichtenberg liebt in jenen Jahren dieses Wort; *artifizielle Versteinerung* nennt er anderweitig eine Mumie, spricht von den auf dem Grund seines Hirnes versteinerten Einfällen. An die Stelle jener frommen Amintor-Ruhe, die, wie er damals schrieb, ihm nur nehmen könne, der ihm seine Vernunft selbst nehme, ist heillose Zweifelhaftigkeit getreten. Und den frohen Blick auf Dasein und Zukunft löst eine ängstliche Neugierde ab, die sich auf die Gegenwart eines *armseligen Leibes* beschränkt. Es war zu Rückfällen in Krankheit gekommen. Und es bleibt ständig eine *unglaubliche Empfindlichkeit* der Nerven, die, ins verheerende Unmaß gesteigert, den Lichtenberg seines letzten Lebensjahrzehnts prägt. *Bei meiner Nerven-Krankheit habe ich sehr häufig gefunden, daß das, was sonst bloß mein moralisches Gefühl beleidigte, nun in das physische überging. Als Dieterich einmal sagte: mich soll Gott töten, so wurde mir so übel, daß ich ihm daher auf eine Zeitlang die Stube verbieten mußte.* Dann beginnt, nach den zerstreuten Notizen des Jüngeren, seine eigentliche Beschäftigung mit einem Teufelskreis: das Studium seiner Hypochondrie. Ernst von Feuchtersleben hat ihn darum 1838 den «Kolumbus der Hypochondrie» genannt, zugleich aber bemerkt, daß man zwar ein Tagebuch ebenso treu und fein, «nur etwas weniger hypochondrisch wie das Lichtenbergs» führen sollte. Man wäre um manche Sensation — in dem Verstand des achtzehnten Jahrhunderts — ärmer, hätte Lichtenberg so diätetisch denken können. *Es ist alles alles Krankheit bei mir,* klagt er und beschwört sein Nervenleiden als das böse Prinzipium seines Lebens, das alle seine *Entschließungen umzuändern* und seine *Unternehmungen zu vereiteln* weiß. Liest man die Tagebücher jener Zeit, muß man allerdings vermuten, daß die Augenblicke eines zeitweiligen Wohlbefindens gezählt sind. Sein Tagebuch vom 6. September 1791 vermerkt, daß er zum erstenmal in fast zwei Jahren wieder Käse, Schweizerkäse gegessen habe! Mit der Zeit wird jenes halbjährige Krankenlager in Gedanken und Äußerungen größer und größer. Während seiner Krankheit hatte ihn der englische Arzt John Howard besucht, der viel für die Verbesserung der Krankenhäuser und Gefängnisse schrieb. Sein Werk «The State of the Prisons in England, and an Account on some Foreign Prisons» hat sehr heilsam gewirkt. Bei Lichtenberg, der immer voll Respekt von jenem Mann sprach, bewirkt es einen schlimmen Scherz: *Der berühmte Howard besuchte mich bei seiner Durchreise. Warum? kann ich eigentlich nicht sagen, es müßte denn sein, daß er meine Stube, weil ich damals in 1¹/₂ Jahren nicht vor die Türe gekommen war, etwa als einen Kerker habe in Augenschein nehmen wollen.* So wollte sich der Leidende sehen, so sieht man ihn: mehr und mehr in dem Kerker seiner sogenannten Revolution befangen. Sömmering beklagt sich, daß Lichtenberg nurmehr die Rolle eines Sonderlings spiele.

Dabei ist sich Lichtenberg bewußt, daß sein *Nervenübel von meiner Einsamkeit sehr unterhalten wird, wo nicht gar hervorgebracht worden ist.* Man begreift darum seine Freude über jeden Freund, jeden, der ihm Gesellschaft leistet: er geht selbst so gut wie nicht unter Menschen. So dankt er hingerissen Kästner für das Vergnügen seines Besuches, pflegt mehrere Wochen Umgang mit Chladni, empfängt den *vortrefflichen Mann* Graf Rumford, den *geistvollen* jungen Dichter Matthisson, begrüßt seinen Freund und ehemaligen Schüler Hufeland bei sich. Aber er sieht ein, daß dies ein Heilmittel ist, dessen Wirkung rasch verfliegt. Was er Jacobi schrieb, könnte über allen seinen Versuchen stehen, seiner Einsamkeit zu entkommen: *Ich befand mich*

Der Arzt Christoph Wilhelm Hufeland (1762—1836). Lithographie von C. Müller nach Ferdinand Jagemann

in dem Falle mancher paralytischen Personen, die die Glieder bewegen können, so lange sie elektrisiert werden, und dann wieder zusammenfallen! Zusammenfallen, auf sich selbst zurück und verfallen heißt dann beinahe gleich viel.

Sind die Tagebücher fast nichts anderes als ein Protokoll von Erlebnissen: seiner Leiden und Träume, so versucht das Merkbuch eine Art räsonierender Auswertung, wie um heilsamen Abstand zu gewinnen. In selbstironischer Betrachtung legt er eine Liste der von dem Hypochonder Lichtenberg sich eingebildeten Krankheiten an: *Er lag an Krämpfen im Unterleibe darnieder, diese Krankheit hatte er nach dem Zeugnis der besten Ärzte. Allein der Krankheiten, die er zu haben glaubte, waren eine beträchtliche Zahl. 1) ein marasmus senilis, ob er gleich nur 46 Jahre alt war (in Wahrheit 48 Jahre), 2) ein Anfang von Wassersucht, 3) ein convulsivisches Asthma, 4) ein schleichendes Fieber, 5) die Gelbsucht, 6) die Brustwassersucht, 7) fürchtet er eine Apoplexie, 8) eine Paralysin der rechten Seite, 9) glaubte er, die großen Arterien und Venen wären verknöchert, 10) er hätte einen Polypus im Herzen, 11) ein Geschwür in der Leber und 12) Wasser im Kopf. Wer dieses lieset, sollte fast glauben, die 12te wäre die einzig gegründete Furcht gewesen. 13) Diabetes.* Die Tagebücher zählen seine Leiden nicht, sondern registrieren ängstlich Zahngeschwüre, bösen Hals, Husten, Diarrhöen, unregelmäßigen Puls, Kopfweh, Rückenschmerzen, Knochenreißen, Ohrensausen, Seitenstechen, Schmerzen bald an dem, bald an dem Gliede, Krämpfe,

Schweißausbrüche bei der geringsten Anstrengung, *Todeskälte in den Füßen*, Beängstigungen, Appetitlosigkeit, Abspannung, Ohnmacht, Schlaflosigkeit: *Wenn ich schlummern will, erwache ich allemal mit Angst.* Des Nachts arbeiten ihm im Gewissen immerzu Gedanken wie eine *Totenuhr;* Träume schrecken ihn, wie daß er sich *zu dem gehenkten Kerl ins Bett legen* sollte: *Abends ein fürchterlicher Blitz durch den Kopf!* Bisweilen weiß er nicht mehr, ob er krank oder gesund ist und wo die Gesundheit anfängt, krankhaft zu werden oder Krankheit aus Gewöhnung eine andere Gesundheit. Armer Nervenkranker, *armer Hypochondrist* wird seine ständige Unterschrift in Briefen. Bisweilen sucht er sich zu behaupten, mit Scherzworten, mit mikroskopischen Beobachtungen und Resignation, mit Hilfe des einen und anderen Arztes auch. Ein *hiesiger gelehrter Jude, namens Amschel* habe ihm, so schreibt er 1795, *besser in die Seele und aus der Seele gesprochen als fast irgend jemand.* Öfters ist er gegenüber seiner *hundertköpfigen Krankheit* nurmehr ein *altes Weib,* wie er ohnmächtig schreibt. Einmal wendet er sich an den Freund, den Arzt Reimarus, wie sonst an den Fachmann in Blitzableitung, ob er ihm keinen Rat wisse: *Ich weiß, ich höre von Ihnen nichts Auswendiggelerntes, sondern etwas, das Sie in Ihrem Geist schon für mein Wesen assimiliert haben. Es hat mir schon einmal jemand gesagt, er glaube, ich könne nur durch den Kopf geheilt werden. — Nun fürwahr ich muß aufhören, sonst sagen Sie mir wohl gar, freilich vor allen Dingen muß e r s t d e r K o p f geheilt werden.*

Lichtenbergs Unglück ist, daß sein kranker Kopf über den Verstand und die Begriffe der zeitgenössischen Heilwissenschaft ging. Noch hielten Theologen — Seelsorger — die Pflege der Melancholiker und am Geiste Zerrütteten für ihres Amtes. Erst 1803 prägte Reil den Begriff der Psychiatrie. Inzwischen tat Lichtenberg, was Karl Philipp Moritz mit einem Stab von Aufklärern unternommen hatte: er schrieb sein «Magazin der Erfahrungsseelenkunde» allein, *pathologischer Egoist*, als den er sich bezeichnet. Gift aus jedem Vorfall seines Lebens zu saugen, erkennt er für seine greuliche Fertigkeit. Alles wird ihm zu dem Gleichnis seines elenden Körpers. Die *hypochondrische Attention gegen sich selbst* vermerkt die Zeichen des Verfalls um ihn her. In der Dämmerung geschrieben wurde dieser Dialog: *A: Sie sind ja so fett geworden. B: Fett? A: Sie sind noch einmal so dick als sonst. B: Das ist die Arbeit der ermüdeten Natur, die nicht mehr Kraft hat, etwas anderes zu machen als Fett, das man allenfalls, ohne der Menschheit damit zu nahe zu treten, wegschneiden kann. Fett, Fett ist weder Geist noch Körper, sondern bloß, was die müde Natur liegen läßt, für mich so gut wie für das Gras auf dem Kirchhofe.* Altern wird, mit 47 Jahren, sein Problem. Er meint, den Schwund des Gedächtnisses, das Versiegen der Inspiration zu konstatieren (erleichtert notiert er einmal, daß ihm Einfälle wie ehedem zugeströmt seien). Das Unzusammenhängende mit sich selbst seit seiner Krankheit läßt ihn frühere Einfälle wie Vorfahren ansehen. Beziehungslosigkeit tritt an die Stelle des kontinuierlichen Lebens einer ehemals aus Vergangenheit und Gegenwart im Geiste, Gedächtnis vereinigten Person: *So lange das Gedächtnis dauert, arbeiten eine Menge Menschen in Einem vereint zusammen, der Zwanzigjährige, der Dreißigjährige usw. Sobald aber dieses fehlt, so fängt man immer mehr und mehr an, allein zu stehen, und die ganze Generation von I c h s zieht sich zurück und lächelt über den alten Hilflosen. Dieses spüre ich sehr stark im August 1795.* Gewiß gibt es Augenblicke, in denen er den alten Menschen *ein ebenso vollkommenes Geschöpf in seiner Art* wie der Jüngling nennt, dem Alter selbst den vollendeteren Zustand, die reifere Leistung beimißt. Dann aber wird ihm wiederum alles relativ, Alterswerk und Alter. Er interpretiert Kants Sittengesetz aus dem Körper des Greises, *wo Leidenschaft und Neigungen ihre Kraft verloren haben und Vernunft allein übrig bleibt,* das Alter als den Erfinder besonnter Vergangenheit.

Lichtenbergs letztes Jahrzehnt ist von der Sucht nach der Jugend, der Heimat, den Freunden der Jugend gekennzeichnet. Er wird zum Fetischist der kleinen Erinnerungsstücke: des Darmstädter Adreßkalenders so gut wie des Tischtuches, der Servietten aus der Hinterlassenschaft seiner Mutter, die er als schönstes *Heiligtum* bewahren will, und des Tintenfasses, das Bürger gehörte. Er verbringt Nächte *unter wehmutvollen, aber auch da noch angenehmen Wiederholungen jener Stunden* aus der Jugendzeit: *Es sind das freilich Schattenspiele, aber was ist denn unser Leben mehr? und wenn es mehr ist, so ist gerade dieses eben nicht, was es Vorzügliches hat.* Und so überschwenglich er die Jugendgefährten wieder erkennt und begrüßt, so wehmütig nimmt er von ihnen Abschied. Das ist ein vager Abschied. Lichtenberg spricht den Tod nicht aus. Aber er meint es auch durchaus nicht: bis auf weiteres. So schreibt er 1797 in dem letzten Brief an Zimmermann aus Darmstadt zum Schluß hin: *Lebe wohl, mein bester, mein ältester Freund! Lebe wohl! Wir sehen uns in diesem Leben nicht wieder: aber mein letzter Pulsschlag schlägt noch für dich, und wenn ihn mein Arzt verstände, er müßte bezeugen, daß er noch für dich geschlagen hätte. Adieu! Adieu!* Hier zum erstenmal fällt jenes doppelte Abschiedswort, das am Ende seines letzten Briefes überhaupt stehen wird: als ahne er den baldigen Tod. Sehnte er ihn herbei?

Fest steht, daß er schon im Frühjahr 1791 *auf reelle Wiederherstellung* nicht mehr rechnete und der Tod in seinen Träumen und Betrachtungen eine bedeutende Rolle spielte. Der Totenkopf ist ihm eine Weltkugel. Blumenbachs berühmte Schädelsammlung fasziniert ihn. Nicht seiner Zweifel, sondern *bloß des vis à vis wegen, das mir neu ist,* wünscht er einen seiner Mumienköpfe für einen Tag und eine Nacht bei sich zu haben; *Gehörte er mir, wahrlich ich ließe ein Postament dazu machen und stellte ihn auf meinen Schreibtisch und vor mein Bette, wenn ich in den stillen Stunden von 1 – 3 lucubriere. Es muß und muß einem mancher Gedanke bei einer solchen Gesellschaft aufsteigen, den unser gewöhnliches Ameublement nicht erwecken kann.* Es kommt Lichtenberg nicht näher, wollte man ihn darum einen anderen Hamlet mit dem Yoricks-Schädel nennen: ist er nicht auch Yorick mit dem Schädel Hamlets? Als einen Vorzug seines Gartenhauses rühmt Lichtenberg, daß er seine *Grabstätte daraus aus dem Fenster sehen kann.* Durch das Perspektiv beobachtet er, wie man Freunde und Bekannte bestattet. Nach seinen Aufzeichnungen hat er 113 Göttinger von dort zu Grabe tragen sehen. Der Fakt ist nichts gegen seine exzentrische Rückstrahlung in der Person des Zuschauers. *Soeben 3/4 auf 7 wird Bürger auf den Friedhof gefahren,* schreibt er am 12. Juni 1794 in sein Buch. *Das Schwanken des Sarges, als der Wagen in den Kirchhof hinein rollte, war mir unwiderstehlich, ich weinte laut und dankte Gott für dieses Gefühl.* Das schrieb jener Lichtenberg, der geängstet konstatierte, daß scheinbar alles zum Gedanken bei ihm werde und das Gefühl sich verliere. Tränen sind dann, wo Gedanken die Versteinerung bedeuten, wie die Erlösung zum Leben. Das ist im übrigen ein zeitgenössisches Symptom, man denke an die Helden Jean Pauls. Aber Lichtenbergs Tränenseligkeit hat etwas von einer Exaltation: er weint vor Freude wie aus Sorge, Kummer so gut wie aus Selbstgenuß, erkennt bisweilen diese starke Empfindung selbst als krankhaft und Folge wiederum eines Verfalls der Verstandeskräfte, für Erschlaffung: seine nassen Nächte und Träume! So kann er gleichfalls in dem Tagebuch vermerken: *Soeben schleppt man Michaelisens Sarg vorbei, er glänzt in der Abendsonne wie Feuer selbst, so daß ich das Bild davon noch lange in meinem Auge sah. Ich wurde aber nicht gerührt, sondern hatte vielmehr artifizielle Betrachtungen dabei.*

Die Ambivalenz der Stimmungen und Gefühle war seit je das Merkmal Lichtenbergs. In den letzten Jahren seines Lebens aber sah er sich mehr und mehr selbst als entzwei. Artifizielle Betrachtungen und überschwengliche Anteilnahme; das Geständnis, daß die Phantasie mit ihm durchgehe, zum Ausdruck seiner Zustände; zugleich die Anmerkung, daß er ohne seine Gedanken- und Phantasie-Kur nicht so alt geworden wäre: es führte Lichtenberg zu nichts als immer wieder auf das Rätsel der Person, die desto unfaßbarer wurde, je mehr er sie studierte. Die Betrachtung über den Nerv führt in Abgründe und die Anschauung der Seele auf das Mechanische oder zu einem niedrigkomischen Bilde von dem Hund, dem man einen Knochen an den Schwanz gebunden hat. Seine Autobiographie zu schreiben war er 1797 weniger vermögend als 1777. Nun sah er vor dem wirren Menschlichen, das er von Mal zu Mal notierte, nicht den Menschen mehr; nur die permanente Auflösung und Verstrickung an Stelle der Verfestigung und Festigkeit. Jetzt ging es nur erst einmal darum, Buch zu halten *über die Haushaltung des Lebens.* Seine Anstrengungen zielten darauf ab, zu erfahren, wie man wiederum Person würde. Sein Brief an Forster ist davon ein erschütterndes Dokument: *Mein Zustand ist unbeschreiblich, könnte ich ihn so ganz schildern, wie er ist, ich glaube, meine Feinde selbst würden mir vergeben, was ich bisher non agendo verübt habe... Wenn ich etwas sein will, so muß ich mich erst dazu machen und erhalten — das er-*

müdet entsetzlich! Ich habe aber auch gesehen, daß der Mensch viel mehr vermag, als ich ihm sonst zutraute. Was müßte nicht aus dem Mann werden können, der sehr vieles ist, ohne es zu wissen, wenn er nun noch Kraft von der Art anwendete zu Selbsterschaffung und Erhaltung. Aber ich fürchte, man lernt jene Fähigkeit des menschlichen Geistes nicht kennen als in dem Zustande von kränklicher Empfindlichkeit und kränklich scharfer Bemerkungsgabe, die wieder von einer Seite die Ausführung erschwert. Liebster Freund, was ich zwischen meinen vier Wänden hierin getan habe, würde mich verewigen können, wenn ich entweder schreiben könnte wie Sie oder diese Kräfte auf Gegenstände anwenden, die mehr ins Auge fielen. Allein man setzt niemanden Ehrensäulen, der mit Heldenmut bloß verhindert, daß er nicht — zum alten Weibe wird.

Hypothesen und Theorien — *denn ich lebe beständig unter einer* — machen zugleich sein Leiden, zugleich die Versuche zur Selbstheilung aus. Wißbegierig liest er die Berichte von Menschen, die ein gesegnetes Alter erreichten. Mit Rührung empfängt er Hufelands «Makrobiotik oder die Kunst, das menschliche Leben zu verlängern», das jener «seinem verehrtesten Lehrer und Freunde zum öffentlichen Zeichen der aufrichtigsten Hochachtung und Dankbarkeit» gewidmet hatte. Lichtenberg versucht allerart Vorschläge zur Diät und meint auf Augenblicke eine Linderung zu spüren. Am Ende erkennt er die Unmöglichkeit, auf eines anderen Weise langlebig oder krank zu sein. *Hupazoli und Cornaro oder: Tue es ihnen nach wer kann* ist im Kalender für 1793 seine ironische Summa, wonach es offenbar die Leute nach der Uhr sind, die gewöhnlich alt werden. *Das Handeln nach der Uhr setzt innere uhrmäßige Anlage voraus, wovon ersteres nur die Fortsetzung und Sichtbarmachung ist. Alles, was man treibt, ut apes Geometriam, führt gewiß zum Zweck der Natur.* Es ist eben das, was die langen Leben solcher Diätetiker so sterbenslangweilig macht. Um Lichtenbergs willen wünschte man, er hätte dazu gewisse Anlage gehabt; um unsertwillen ist man froh, daß sie ihm abging. Seine Unvergleichlichkeit und seine Schwäche sind durchaus unzertrennlich. *Bei aller Bequemlichkeit bin ich immer in Kenntnis meiner selbst gewachsen, ohne die Kraft zu haben, mich zu bessern, ja ich habe mich öfters für alle meine Indolenz dadurch entschädigt gehalten, daß ich dieses einsah, und das Vergnügen, das mir die genaue Bemerkung eines Fehlers an mir machte, war oft größer als der Verdruß, den der Fehler selbst bei mir erweckte. So sehr viel mehr galt bei mir der Professor als der Mensch. Der Himmel führt seine Heiligen wunderlich.* Dann ißt er wieder das Verbotene und fühlt sich *gottlob ebenso schlecht wie vorher (ich meine nicht schlechter);* dann beginnt er abermals zu trinken, nachdem er es für sich als schädlich erkannt hatte. Mit dem griechischen Worte κέρας, das Horn bedeutet, bezeichnet er in seinen Tagebüchern jener Jahre insgeheim sein Trinken und Getränke. Daß Lichtenberg gern trank, wußte man längst; in welchem Maße der Alkohol zu der Haushaltung seines Lebens gehörte, erst aus dem

Gottfried Charles Lichtenberg Professor of Natural Philosophy in the University of Gottingen, a Gentleman eminent for his superior knowledge in the various branches of the science he professes, is hereby recommended as a Candidate for election on the foreign list, as likely to become a very useful & valuable Member.

Read Nov.r 15th 1792

Balloted for & elected April 11th 1793.

Nevil Maskelyne
Edward Gray
T. Cavallo
Saml. Foart Simmons
Ch. Blagden
Geo. Best
Alexr. Aubert
Wm. Herschel.

Ernennungsurkunde Lichtenbergs für die
Königliche Sozietät in London, 11. April 1793

Tagebuch. Seine Unfähigkeit, sich zu ermannen, liest man auch in diesem Falle säuberlich nach. Er versucht, dem Alkohol zu entsagen, trägt den Sieg über sich selbst am 9. August 1795 ein: und die Kapitulation am Ende des Monats. ... κέρας *freilich, ohne das ist nichts in der Welt, für mich wenigstens*, liest man unter dem 29. April 1796. Nur durch jene Tagebücher erhält eine Mitteilung erst Gewicht, die bislang einigermaßen fremd neben einem Lichtenberg stand, der den Freunden und Bekannten von seinen Diäten im Speisen und Trinken berichtet. Es handelt sich um einen Brief des Kant-Schülers Lehmann, der in Dieterichs Haus wohnte und im November nach dem Tode Lichtenbergs seinem Lehrer von dem «recht wüsten Leben» schrieb, das Lichtenberg geführt habe: «Des Morgens stand er spät auf, gleich darauf trank er Kaffee, Spanischbitter und Wein. Zu Mittage wurde auch wieder Wein getrunken. Nachmittag wieder Wein und Liquör, um sich immer munter zum Schreiben zu erhalten. Des Abends wurden viele Eyerspeisen gegessen und die halbe Nacht durch gelesen oder geschrieben. Nie verließ er sein Zimmer oder genoß die frische Luft...» War er noch zu retten? An Goethe schrieb er, daß es wohl erst mit ihm besser werde, wenn er seine Nerven selbst abgelegt habe.

Es ist die ständige Ironie seines Lebens: nun es gelebt scheint und wie unnütz vertan, wird ihm sein Ruhm testiert, seine Leistung beurkundet, wirbt man um einen Geist, der Mühe hat, nicht von einem Körper aufgegeben zu werden. Schon am 2. Januar 1782 war Lichtenberg in die Naturforschende Gesellschaft zu Danzig aufgenommen worden. 1788 hatte ihn zugleich mit Blumenbach, Gmelin und Meiners der britische König *durch ein sehr gnädiges Patent vom 5. September zu seinem Hofrat gemacht.* Am 11. April 1793 nahm die Royal Society in London Blumenbach und Gottfried Charles (!) Lichtenberg als ein «very useful and valuable» Mitglied auf. Nach dem Vermerk im Tagebuch erreichte ihn am 13. Januar 1795, vierzehn Tage vor der Revolution in Holland, ein Ruf an die illustre Universität von Leiden *mit 2000 fl. Gehalt und 500 fl. an Emolumenten und Freiheit, mir bessere Konditionen noch zu machen.* Lichtenberg schlug aus [1]. Seine Regierung sandte ihm, als sie von seiner Absage erfuhr, *das ehrenvollste Schreiben, eine Art von Dank, mit der Versicherung unter Siegel, bei der ersten Gelegenheit entschädigt zu werden.* Im gleichen Jahre wurde Lichtenberg zusammen mit Gmelin auch zum auswärtigen Mitglied der Petersburger Akademie der Wissenschaften ernannt. Ehrungen des Gelehrten; schmeichelhafte Korrespondenzen, die von Größen der Zeit an ihn herangetragen werden. Johann Wilhelm von Archenholz, der Historiker des Siebenjährigen Krieges, bittet Lichtenberg, vergebens, um Rezension seines letzten Werkes. Kant führt mit ihm eine hochachtungsvolle Altherrenkorrespondenz; man tauscht Werke und Schüler. Goethe eröffnet und wünscht einen physikalischen Briefwechsel betreffend die Lehre der Farben. Umwerbung endlich des Schriftstellers! 1794 gehört Lichtenberg zu den Autoren, die Schiller zur Mitarbeit an den im gleichen Jahr begründeten «Horen» aufforderte. Bis zum Jahre 1798 hat Cotta selbst immer wieder versucht, ihn zu gewinnen. Der Erfolg aller dieser Anerkennungen, die Wirkung? *Wahrlich es hat nicht viel gefehlt, so hätte ich, während ich Ihren so sehr verbind-*

---

1 Kurios ist, daß nach den in Leiden befindlichen Akten erst am 19. März 1795 das Kuratorium den namhaften niederländischen Naturwissenschaftler Jan Henrik van Swinden um ein Gutachten über vier Kandidaten gebeten hat, unter ihnen Lichtenberg, den er sehr befürwortet. Daraufhin hat ihn das Kuratorium am 1. Juli 1795 berufen, am 19. September von der Berufung aber abgesehen. Sollte es sich anfangs des Jahres lediglich um eine private Sondierung gehandelt haben?

Lichtenberg

lichen Brief las, anfangen zu glauben: *ich sei wirklich etwas in der Welt; ein Gedanke, der mir noch nie so recht in den Sinn gewollt hat,* entgegnete er Cotta. Zuletzt kamen alle Ehrungen noch zeitig genug, einen Nekrolog reputierlich einzuleiten. Dem Lebenden besagten sie nichts mehr. Gleichgültigkeit gegen alles, ausgenommen Liebe und Freundschaft, *immer tiefer wurzelnde Apathie* sind nun Worte, in denen er von sich redet. Und der ein Leben lang sein Tun und Denken in das Bild der Kerze zu prägen liebte, stellt seine Existenz in der Nähe von Leiden und Tod wiederum unter ähnlichen Bildern dar: *Sein Leben aufs Profitchen stecken: wie ich jetzt im Jahre 1795. Ich hätte aber, was ich jetzt tue und tun will und gerne täte, ehemals viel besser tun können, da hatte ich aber keine Zeit!!* Andernorts äußert er, daß er begonnen habe, sein bißchen Witz, ja seine ganze Tätigkeit aufs Profitchen zu stecken: *Kohlen sind noch da, aber keine Flamme.* Das heißt nicht, wie man nach dem Worte denkt, auf seinen Vorteil bedacht, berechnend sein, sondern sparen müssen, wo beinahe nichts mehr ist. Lichtenberg selbst gab 1784 in dem *Weg des Liederlichen* eine Aufklärung, wonach man in einigen Gegenden Deutschlands Profitchen die *Lichtendchen auf Stacheln* heißt!

Seit der Mitte des Jahrs 1791 regt sich in meiner ganzen Gedanken-Ökonomie etwas, das ich noch nicht recht beschreiben kann. Ich will nur einiges anführen und künftig aufmerksamer darauf werden. Nämlich ein außerordentlich fast zu schriftlichen Tätlichkeiten übergehendes Mißtrauen gegen alles menschliche Wissen, Mathematik ausgenommen, und was mich noch an Studium der Physik fesselt, ist die Hoffnung, etwas dem menschlichen Geschlecht Nützliches auszufinden. Wir müssen nämlich auf Ursachen und Erklärungen denken, weil ich gar kein anderes Mittel sehe, uns ohne dieses Bestreben in Tätigkeit zu erhalten... Wir müssen freilich etwas ergreifen. Aber ob das nun alles so ist, wie wir glauben? Da frage ich mich wieder: Was nennst du so sein, wie du es dir vorstellst? Dein Glaube, daß es so ist, ist ja auch etwas, und von dem übrigen weißt du nichts. Dieses war auch die Zeit, da ich (Gott verzeih mir, wenn ich irre) zu glauben anfing, daß die Muscheln in den Bergen gewachsen sein könnten. Es war aber kein positives G l a u b e n, sondern bloß ein dunkeles Gefühl von unsrer Unfähigkeit oder wenigstens von der meinigen, in die Geheimnisse der Natur einzudringen. Hatte Lichtenberg bislang dem Vortrag immer auch den Zweifel eingefügt, ist es, nach dem obigen Satz, nunmehr allgemeiner Zweifel, den er vorträgt. Es bestürzt dieser jähe Umschlag seines Denkens innerhalb eines Jahres: vom Amintor zu der wildesten Krise von Skepsis. Im Grunde handelt es sich bloß in seinem Kopf um eine andere Wortstellung; in beiden Fällen ist das Vokabular: Vernunft-Denken-Ordnung-Welt-

Lichtenberg. Pastell. Vermutlich von dem Hofmaler Christian Ernst Specht in Gotha. Im Besitz von Frl. Ida Lichtenberg, Bremen

Gott. Dort aber wurde aus der Wahrnehmung, daß seine Vernunft die Ordnung denke, das beseligende Bewußtsein einer Ordnung in der Welt, die der Gedanke Gottes ist. Er hatte sich vergessen. Als er sich bedachte, lautete der Satz: *Wir können nicht anders, wir müssen Ordnung und weise Regierung in der Welt erkennen, dieses folgt aber aus der Einrichtung unsrer Denkkraft. Es ist aber noch keine Folge, daß etwas, was wir notwendig denken müssen, auch wirklich so ist, denn wir haben ja von der wahren Beschaffenheit der Außenwelt gar keinen Begriff, also daraus allein läßt sich kein Gott erweisen.* Wie Spinoza dort zu Lichtenbergs eingebildeter Gesundheit beitrug, so hier Kant zur Verzweiflung des leidenden Subjekts: *Wir finden keine Ursache in den Dingen, sondern wir bemerken nur das, was in uns herein korrespondiert. Wohin wir nur sehen, so sehen wir bloß uns.* Mit Recht wies man darauf hin, daß nur derjenige ihm hätte Befreiung bringen können, der ihn von seinem Ich erlöste, nicht aber, wer ihn noch mehr mit sich selbst einschloß.

Der Zweifel am Erkenntnisvermögen schlechthin führt notwendig zu einer Übertretung von Grundgesetzen des Rationalismus. Lichtenbergs Unbehagen an der Vernunft und innigere Wertschätzung irrationaler Kräfte gehen einig: *Die Vernunft sieht jetzt über das Reich der dunkeln aber warmen Gefühle so hervor wie die Alpenspitzen über die Wolken. Sie sehen die Sonne reiner und deutlicher, aber sie sind kalt und unfruchtbar.* Wo man Lichtenberg auf dem Wege zur Romantik behaupten wollte, scheint jener Satz ein triftiges Indiz. Es gibt andere: Lichtenbergs offenbare Neigung zu der anheimelnden Gefühlsphilosophie des *Weisen von Pempelfort*, Jacobi, mit dem er in Verbindung stand; die Bedeutung, welche er dem Instinkt, der Intuition, den Ahnungen beimaß. Lichtenbergs in der *Verteidigung des Hygrometers und der Delucschen Theorie vom Regen* 1795 geäußerte Hypothesen, die von der Zerlegung des Wassers in Sauerstoff und Wasserstoff durch den elektrischen Funken 1789 in Amsterdam ausgingen, wurden in romantischen Kreisen eifrig aufgenommen. Henrik Steffens berichtet in seinen Lebenserinnerungen: «Lichtenbergs Vermutung, daß die Trennung des Wassers in Wasserstoff und Sauerstoff eine Trennung der Elektrizitäten sei, schlug selbst wie ein elektrischer Funke in die Entwicklung der Naturphilosophie ein.» Wie auf den romantischen Gesinnungsfreund beruft sich Schelling in seinen «Ideen zu einer Philosophie der Natur» auf den Physiker. Nie vergaß man, zu erwähnen, daß Lichtenberg noch Fichte las und 1790 Franz von Baader unter seinen Gästen hatte: daß 1792 Tieck in Göttingen studierte und Lichtenbergs «leichter und gefälliger Umgangston» für ihn sehr anziehend war, ist dann auch erwähnenswert. Aber Lichtenberg erkannte Fichte nur als übertriebenen Kantianer und nicht einen Lehrer der Romantischen Schule; Baader kam, wie Steffens, von Freiberg und Abraham Gottlob Werner, dem Experimentalgeologen, der wie Lichtenberg Experimentalphysiker war; Tieck war in dem Nicolai-Berlin zu Hause.

Wenn Lichtenbergs Fenster gleich zu der Romantik hinausgehen sollten, er verblieb, mit seiner Krise und Entgegnung, im Gebäude des späten Rationalismus. Seine problematische Situation läßt sich von zwei Sätzen Lichtenbergs fassen, die jeder für sich auf Bacon anspielen. Der erste lautet: *Aber leider! leider liegt alles in einem Labyrinth, wozu Baco den Faden gesucht, aber nicht gefunden hat, und der Mensch muß noch jetzt wie vor Jahrtausenden die größten Dinge erfinden wie die Schweine die Salzquellen und Gesundbrunnen.* Das stammt von 1784. Im April 1794 aber schrieb er in das Album Matthissons, wie 1792 schon in eines Unbekannten Stammbuch, unter Berufung auf Bacon den Satz: *Vere scire est per causas scire!* Des einen sich schmerzlich bewußt, vom anderen notwendig überzeugt, suchte Lichtenberg als Philosoph und Lehrer fortzufahren. Und vor der Öffentlichkeit, auf dem Papier wird man schwerlich jene ratlose, tatenlos machende Skepsis wiederfinden. Sein Porträt von Nikolaus Kopernikus, 1795 geschrieben und im «Pantheon der Deutschen» 1800 veröffentlicht, stellt außer Zweifel und Frage: den genialen Aufklärer, die Begabung der Aufklärung, das Hochgefühl der Nachfolge. Bedeutender als der Gelehrte war in der letzten Periode seines Lebens der Schriftsteller Lichtenberg nur, wenn man mit heutigen Begriffen unterscheidet. Eigentlich vervollkommnete Lichtenberg bei sich selbst jene Tugend, die er am Typ des schreibenden Gelehrten wie Franklin bewundert hat: in allem, was er schrieb, bei allem, was er vor Augen stellte, den bon sens mit schöner Lesbarkeit zu vereinen. In Kalenderartikeln jener Jahre trifft man Lichtenberg zu mehreren Malen als völlig entspannten Wissenschaftler, sei es, daß er von den Augen handelt oder über Ernährung, Kochen und Kost-Sparkunst, über einen Gebrauch des Wasserdampfes, indem er die Schriften und Gespräche des Grafen von Rumford durch persönliche Überlegungen ergänzt. So reizend ihrer Form nach wie revolutionär in dem Gehalt sind vollends zwei Aufsätze, die in dem Taschenbuch für 1793 und 1795 erschienen und, wie üblich, nicht Epoche machten. *Warum hat Deutschland noch kein großes öffentliches Seebad?* fragte der frühere Aufsatz, der andere schlug *Das Luftbad* vor. Daß er davon reden konnte, ohne Furcht, *durch gesuchte unnütze Grübelei die Würde der Naturlehre oder durch mutwillig scheinende Vorschläge die Majestät der Sittlichkeit und Unschuld zu beleidigen,* hat seinen Grund in dem englischen Arzt John Abernethy, den Versuche 1793 folgern ließen, daß *der Mensch über den ganzen Körper einatme, ohne es zu wissen, und also ohne sein Zutun einen Zufluß von Wärme erhalte, der ihm bisher unbekannt geblieben* war. Die Kleidung, ist Lichtenbergs Folgerung, hindert notwendig diesen Prozeß, liefert einer sogenannten Erstickung vielmehr Vorschub, summa: *Es scheint also nichts weniger als verwerflich zu sein, sich tagtäglich oder wenigstens zuweilen auf eine kurze Zeit nackend der Luft aus zusetzen.* Nebenbei die treffende Voraussicht: das ärztlich verordnete Bad in reinerer und höherer Luftschicht: dem Harz, der Schweiz; der visionäre Seitenblick aufs Frauenzimmer: *Wer weiß, ob nicht bei dem schöneren und wärmeren Geschlecht, die die Grenzen der Nackt-*

heit an Armen und Busen zuweilen etwas erweitert haben, ein dunkles Vorgefühl dieser neuen Wahrheit zum Grunde lag. Ja wer weiß, ob nicht ... eben aus diesem dunklen Vorgefühl von Abernethys Theorie der tiefe Ausschnitt am Busen und der hohe Abschnitt am Unterrock sich endlich einander auf halbem Wege begegnen und zum bloßen Feigenblatt unserer ersten Eltern zusammenschmelzen werden. So führt auch diese Theorie so wie die neueste Politik auf eine baldige Wiederkehr vom paradiesischen Stand der Unschuld und Gleichheit.

Die Anregung und Lust, für ein deutsches Seebad an der Nordsee zu schreiben, kam ihm 1788 schon durch seinen Freund und Magazin-Mitarbeiter, den bedeutenden Wasserbaukonstrukteur Reinhard Woltmann in Ritzebüttel bei Cuxhaven, die Qualifikation dazu von eigenen Erfahrungen aus jüngeren Jahren. Lichtenbergs «Zurück zur Natürlichkeit» war seine späte Rückkehr auf die selige Insel England. Es ist rührend, zu lesen, wie gesund der rettungslos Kranke dachte und wie besorgt um die Wohlfahrt seiner Mitmenschen. Der praktische Erfolg der inspirierten Werbeschrift ließ dennoch auf sich warten: sieht man von jenem Arzt ab, der, angeregt von Lichtenberg, 1794 bei Dobberau nahe Rostock das erste deutsche Ostseebad anlegte. Die Hamburger lehnten Seebäder als reinen Luxus und bedeutungslos für die Gesundheit ab. Das erste deutsche Inselbad, Norderney, wurde 1799 nach dem Tode Lichtenbergs eröffnet und erst 1816, allerdings genau nach Lichtenbergs Vorschlägen, das Seebad in Cuxhaven eingeweiht. In seiner für die Entwicklung des deutschen Seebadewesens wichtigen Schrift «Ritzebüttel und das Seebad zu Cuxhaven» hat Abendroth 1818 den Aufsatz des «genialischen Lichtenberg» aus Dankbarkeit wiederabgedruckt.

Der Fülle im Kalender und auch unter anderem im «Hannöverschen Magazin» verstreuten Anregungen entspricht nach dem bloßen Augenschein die gleichmäßige Vielfalt der Interessengebiete des Forschers und Universitätslehrers. Das Vorlesungsverzeichnis für den Winter 1798, Lichtenbergs letztes Semester, kündigt trotz seiner

Badekutschen der Seebadeanstalt Norderney

Galvanis Froschschenkel-Versuche von 1791

Krankheit von ihm zehn Wochenstunden an: über Astronomie, physikalische Geographie, Meteorologie, Geologie, Physik. Wenn schon Lichtenberg in jenen Jahren an der Möglichkeit verzweifelt ist, aus Eigenem eine ihn verewigende Entdeckung zu machen, so vollzog er mit unermüdeter Aufmerksamkeit die Funde anderer nach und ließ sich davon anregen. Er war und hielt sich in allem auf dem laufenden, wo die ruhige Beschränkung auf einen Gegenstand dem Fortschritt vermutlich dienlicher gewesen wäre. Vielfalt ist dann um so mehr in Gefahr, Verzettelung zu werden. Man liest von Versuchen, die er mit Pflanzen im Garten macht, Beobachtungen eines Meteors, Bemerkungen über die Entstehung des Hagels, Ansichten zu einem Erdrutsch. Eschenburg erteilt er Auskunft über Güte und Vorzug schwedischer Öfen. 1792 stellt er Versuche über die Reizbarkeit der Frösche an; bekanntlich hat Galvani 1789 beschrieben, wie man durch elektrische Entladung am Nervenstamm eines toten Frosches Zuckungen in den Beinen des Tieres hervorrufen kann. Doch der Professor für Anatomie aus Bologna gab seiner Beobachtung eine falsche Deutung: Er glaubte, eine Art tierischer Elektrizität gefunden zu haben. *Brütend* saß Lichtenberg selbst auf einer Theorie über das Phänomen der mit Blei belegten Zunge, das ebenfalls zu dem *Galvanischen Corps* gehörte. Heute wissen wir, daß es wirklich im Organismus schwache elektrische Gleichstromkreise gibt, die vielleicht zahlreiche biomagnetische Erscheinungen erklären. Mit Abraham Gottlob Werner, dem berühmtesten Mineralogen seiner Zeit, der ihn offenbar im Sommer 1792 besuchte, führt er eine Korrespondenz, die Fragen etwa zum Vulkanismus oder Neptunismus des Basalts betreffen oder die Natur des Doppelspats.

Desto seltsamer mutet es an, daß Lichtenberg in den über das besondere Phänomen hinausgehenden allgemeinen Erörterungen von einer beinah ärgerlichen Zurückhaltung ist und eine klare Entscheidung verweigert. Goethe bekam es zu spüren, als er ihm im August 1793 seinen Essay «Von den farbigen Schatten», im Dezember seinen «Versuch die Elemente der Farbenlehre zu erklären» übersandte. Wohl gestand Lichtenberg in seiner Antwort, dadurch auf *einen Teil der Lehre vom Lichte aufmerksam* gemacht worden zu sein, um den er sich bisher wenig bekümmert habe; und er gibt einige seiner Gedanken zur Sache, Beobachtungen, die er in seiner Studierstube und am Schornstein gegenüber anstellte: als Argument dafür, daß er — Newtonianer, wie man weiß — Goethes *Theorie für ganz ohne Einschränkung richtig zu erkennen* sich noch nicht entschließen konnte. Es war im Grunde eine unergiebige Korrespondenz, Lichtenbergs freundliche Indifferenz eine Enttäuschung für Goethe, die sich in einem Brief an Schiller vernehmbar machte: «Eine Zeit lang antwortete er mir; als ich aber zuletzt dringender ward und das ekelhafte Newtonische Weiß mit Gewalt verfolgte, brach er ab über diese Dinge zu schreiben und zu antworten; ja er hatte nicht einmal die Freundlichkeit, ungeachtet eines so guten Verhältnisses, meine Beiträge in der letzten Ausgabe seines Erxlebens zu erwähnen.»

Wahrhaft befremdend erschien schon den Zeitgenossen aber Lichtenbergs laue Rezeption der Lavoisierschen Chemie, die an seinem guten Bekannten, dem Göttinger Arzt Girtanner einen begeisterten Fürsprecher hatte. Zweifellos hat Lichtenberg sein Urteil im Laufe der Jahre nuanciert. 1796 schrieb ein Schüler voller Genugtuung: «Neulich erklärte er uns selbst das neue französische Maß» — gemeint ist das Dezimalsystem —, «weil die Neufränkischen Scheidekünstler sich desselben bei ihren Gewichtsbestimmungen bedienen und diese auch nach Lavoisiers Tode, wie er sagt, noch große Männer genug hätten, die sich zu Diktatoren der Chemie aufwerfen könnten.» Ende 1794 hatte für ihn die neue französische Chemie wenigstens *den Wert der Bequemlichkeit*, aber er zweifelte, *ob das Bequeme auch das Wahre ist.*

Im Februar des Jahres 1795 — Pluviôse III des republikanischen Kalenders — teilte Lichtenberg einem seiner dilettierenden Bekannter mit, wie sehr ihn dessen *Aufmerksamkeit auf die Natur*, die herrlichen Bemerkungen über die Eisblumen erfreut hätten, weil auch ihn gerade *diese unerschöpfliche Mannigfaltigkeit in den Former derselben dieses Jahr mehr als jemals afficiert und vergnügt* habe zumal jetzt, wo die Mehrzahl der Zeitgenossen lieber im *Polydischer Schurnal liest als auf Fensterscheiben.* Das scheint eine hübsche Variante jener sattsam bekannten Abkehr deutscher Bürger von de politischen Wirklichkeit. Es gab aber Zeiten, da Lichtenberg die An kunft der neuesten Zeitungen aus Paris nicht erwarten konnte, und noch 1796 liest er aufmerksam zwei der wenigen, offen mit der Revolution sympathisierenden deutschen Blätter: den von seinem Studienfreund August von Hennings herausgegebenen «Genius der Zeit» und des bedeutenden Georg Friedrich Rebmann Journal «Der politische Tierkreis oder die Zeichen der Zeit». Ein Jahr später bittet er den *Vetter aus Ràstatt* dringend um Kupferstich, Miniatur oder Handzeichnung, *genaue Schilderung des Äußeren von dem großen Buonaparte, Leibeslänge, Physiognomie, Augen und gutavenierte Anekdoten von ihm . . .* Bis zu seinem Tode hat er durchaus nicht in Bausch und Bogen verdammt. Aber er befindet sich in einem kuriosen Zwiespalt.

Vor den Zeitgenossen — Lichtenbergs Bemerkungen zur Zeitgeschichte machen oft den Eindruck, als unterrede er sich mit leibhaftem Gegenüber — verteidigt er Prinzipien der Revolution, ist ihm darum zu tun, *eine höchst ungereimte Verwirrung der Begriffe* zu klären, voreiliger Verurteilung ebenso zu steuern wie der *Freiheits-Influenza*, die in Mainz das ernste Beispiel gab, das lächerliche in Göttingen selbst, wo 1790 ein mehrtägiger Konflikt zwischen den Gesellen aller Zünfte und den Studenten ausbrach, welche unterlagen und die Stadt verließen. Vierzehn Tage lang führt danach die Studentenschaft auf den Höhen des Hainbergs ein fröhliches Lagerleben, ehe sie sich von der Bürgerschaft zur Rückkehr bewegen läßt. *Experimentalpolitik* nannte Lichtenberg die Französische Revolution, und der Professor war mit einem Wort in seinem ähnlich lautenden Fach: wachsam betrachtend, behutsam erwägend. Mit Entschiedenheit entgegnete er im Kalender für 1791 dem kleinlichen Argument von Gegnern der Französischen Republik, die ihr das Urteil zu sprechen glaubten, indem sie sie das Werk einiger aufrührerischer und minderwertiger Köpfe schalten, mit dem Hinweis, daß zur Entwicklung des großen Spiels einer Nation öfters Rollen nötig sind, *die sich freilich ein ehrlicher Mann scheuen würde zu übernehmen, und wo nicht die Gründung des Gesetzes, doch dessen Vorbereitung bedarf oft Menschen, die man fünfzig Jahre nachher kraft dieses Gesetzes aufgeknüpft hätte. Es war auch immer so, die Geschichte gibt uns nur die Gebäude, die schmutzigen Gerüste hat sie weggeworfen.* Er sah auf eine Zukunft, wo der Zeitgenosse noch die Politik des Tages erörterte, begriff schon — die Erfolge der Volksarmee vor Augen — den Patriotismus als *das Kriegsgenie der Nationen*.

Zugleich aber diskutierte er den Republikanismus; die zweideutige Forderung nach Gleichheit; das heikle Geschenk der Freiheit: *Der höchste Grad von politischer Freiheit liegt unmittelbar am Despotismus an.* Er warnte vor dem Glauben, daß das republikanische System durch sich selbst vor Änderungen und Verkehrung gefeit sei: *Ich glaube, ohne deswegen richten zu wollen, man wird ewig und ewig durch Revolutionen von einem System in das andere stürzen, und die Dauer eines jeden wird von der temporellen Güte der Subjecte abhängen.* Eine der treffendsten Bemerkungen Lichtenbergs ist die, wo er aus der Einführung einer das Direktorium auszeichnen-

den Kleidertracht auf gewisse, dem Menschen als politischem Lebe-
wesen innewohnende Bedürfnisse schließt. Die Inthronisation des ab-
strakten Gesetzes an Stelle des Regenten muß daran scheitern, daß
der Mensch neben der Vernunft seine Einbildungskraft befriedigt
sehen will. Eigentlich ist darum Monarchie — dort die Erblichkeit,
hier das auszeichnende Kostüm — im übertragenen Sinn eine jeder
Regierungsform notwendige Konsequenz, wenn sie bestehen will:
*Es ist Demokratie in dem aus K o p f und H e r z bestehenden Men-
schen, was die Monarchie der reinen Vernunft verwirft, und die politischen Demokraten stützen sich auf M o n a r c h i e der Vernunft.
Sie erkennen eine Monarchie zur Verteidigung einer Demokratie.*

Daß Lichtenberg zuletzt auch praktisch und nicht nur im Bilde
der Monarchie den Vorzug gab, ist verständlich: über seinem Kana-
pee im Gartenhaus hingen die Porträts des englischen Königspaares.
Die englische Konstitution, eine Art eingeschränkter Monarchie, besaß für ihn den Vorteil, *daß sie republikanische Freiheit mit der
Monarchie schon vorläufig gemischt hat, um den völligen Umschlag
aus einer Demokratie in reine Monarchie oder Despotismus zu ver-
hindern.* Mehr und mehr versuchte er den Philosophen mit dem Zeitgenossen zu vereinbaren. Man könnte solchen Denkgeist die Suche
nach dem Kompromiß nennen. Zutiefst beklagte Lichtenberg die
Seltenheit guter Mittelzustände. Man hat ihn darum als reaktionär
verredet. Im Grunde ist es jenes innere Bedürfnis der Epoche nach
dem «Wohlstand», schaudernd vor der Weiterung der Revolution.
Mein Gott! wie blut-blutrot das Jahr 1793 am Horizont herauf blickt,
schrieb Lichtenberg am 30. Dezember 1792 an Nicolai. *Wir wollen
beherzt hinein sehen und lernen:* Am 21. Januar 1793 wurde Ludwig XVI., am 16. Oktober Marie Antoinette hingerichtet. Um der
Republik willen hatte man der Revolution das Wort reden können.
Das Schreckensregiment der Guillotine verschlug alle Fürsprache.

«Freiheits-Influenza» in Göttingen: die Studenten kehren
nach 14tägigem Lagerleben am 29. Juli 1790 in die Stadt zurück

Im Kalender für 1794 stellte Lichtenberg *Einige Betrachtungen über die physischen Revolutionen auf unserer Erde* an, worin er *die Revolutionen der Erde mit denen der Reiche* verglich. Aber sein Vergleich fiel zuungunsten der menschlichen Revolution aus, die um einer ungewissen Zukunft willen *Millionen fürs Gegenwärtige unglücklich macht*. Und seine gewissenhafte Studie des Für und Wider der Französischen Revolution verkehrte sich fast in persönliche Animosität, als die neufränkischen Heere Grenzen nicht mehr kennen wollten.

Bekümmert sah er sein «Vaterland» von ihnen heimgesucht: das ist auch dann noch immer Darmstadt und was man von dem Graupnerschen Boden im Traum übersehen kann. Sein neues Vokabular ist eine einzige Verbalinjurie für die westlichen Nachbarn: das *Räuber-Gesindel*, die *Räuber-Nation* und *Spitzbuben-Rotte*, die *Hunnen des achtzehnten Jahrhunderts*, der *Antichrist*. Eine stehende Redewendung in Briefen ist, daß er schließen müsse, ehe die Franzosen kommen, eine mehrmals geäußerte Absicht, sein Silber zu vergraben. Entrüstet weist er das Gerücht zurück, das Göttingen als einen Hort latenter revolutionärer Gesinnung bezeichnet hat, und er beteuert seine Loyalität. Man wird an ihrer Aufrichtigkeit nicht zweifeln müssen. Gleichwohl sind zum Teil selbst seine Briefe voll der Klage über eine mindestens so unerträgliche Erscheinung der Zeit: daß bald jede freie Rede als jakobinisch verdächtigt werde und man bei jedem Briefe, den man schreibt, denken müsse, *mein ärgster Feind stünde hinter mir und sähe mir zu*. Es ist das ein doppeltes Unbehagen; die Aktion der Franzosen wie die Reaktion der deutschen Obrigkeit ist ihm gleich zuwider: *Man kann wirklich nicht wissen, ob man nicht jetzt im Tollhaus sitzt*. Sein zwiespältiges Verhalten nach dem Tode seines Freundes Forster ist eine hinlängliche Charakteristik Lichtenbergs. Georg Forster, der 1794 in Paris starb, verkörperte der öffentlichen Meinung den radikalsten deutschen Parteigänger der Revolution: er war für Deutschland und beinah für seine Freunde sozusagen totgeschwiegen, ehe er gestorben war. Vor Archenholz, der, nicht als erster, Lichtenberg aufforderte, «unserem guten Georg Forster ein kleines Ehrendenkmal zu errichten», äußerte sich Lichtenberg, als habe er von jenem nur die oberflächlichste Kenntnis. Man spürt aus den Widersprüchen des Briefes Lichtenbergs Befürchtung, daß man, gleich wie er schreibe, die Tatsache, daß er schreibe, so oder so falsch auslegen werde. Friedrich Schlegel war es dann, der 1797 immerhin Forsters literarische Ehrenrettung schrieb. Lichtenberg aber gestand wenigstens dem gemeinsamen Freund Sömmering: *O wie gerne, wie gerne hätte ich ihm ein paar Bogen gewidmet, wäre ich noch das kinderlose und wegen der Zukunft unbekümmerte frei denkende und frei schreibende Wesen, das ich ehmals war. Jetzt muß es beim frei d e n k e n sein Bewenden haben.* Sorge, deren Messer, wie er sagte, sein Gesicht geworden war, diktierte den Brief, versiegelte den Mund dem Bürger und: Vater und Ehemann!

Noch am Abend des 5. Oktobers 1789 war er mit Margarethe Kellner *kopuliert* worden. Das Kirchenbuch führt sie als seine Haushälterin. Der Stadtklatsch hatte sie seit etwa 1783 als seine Geliebte geführt, die 1786 einen Sohn, Georg Christoph, 1789 eine Tochter Luise gebar; ein Kind ist offenbar 1785 gestorben. In Reden der Studenten wurde Lichtenberg zu einem «Starken August»: «Er macht ein Kind nach dem andern mit gesunden und hübschen Frauenzimmern, und als ihm die Hannoversche Regierung deshalb einen Vorwurf machte, so entschuldigte er sich damit, daß er viel zu häßlich wäre, als daß ihm eine Frau lieben, geschweige treu bleiben könnte.» *Der verheiratete 4-füßige Mensch* wird nun die vorletzte Sensation in einem Leben, das alle Arten von Liebe kennengelernt hat. Der Freund Forster, der Kollege Heyne, der Bruder Ludwig Christian mißbilligten jedoch jenen Schritt, den Lichtenberg todkrank vollzog, um der Mutter seiner Kinder, falls er sterben sollte, ein Auskommen zu sichern. Schockierender wirkte offenbar die Legalisierung eines Verhältnisses als dieses selbst, das, denkt man nur an Weimar, seinerzeit nicht ganz und gar ungewöhnlich war.

Aus der Maitresse eines Mannes läßt sich viel auf den Mann schließen, man sieht in ihr seine Schwachheiten und seine Träume, hatte Lichtenberg gesagt. Galt das nicht auch für ihn selbst? Die Erdbeerverkäuferin Margarethe, 1759 auf dem Dorfe Nikolausberg bei Göttingen als Tochter eines Weißbinders geboren, entsprach, nach allem was man von ihr weiß, vollkommen jenem Weibswesen, das Lichtenberg zeitlebens dem mit Maßen emanzipierten Frauenzimmer, der *Bücherleserin* vorzog. Derer er aus Schwachheit bedurfte, die Frau seiner, sehr lokalisierten, Träume hatte klar umschriebene, von ihm selbst beschriebene Konturen. Verstand, nach der männlichen Definition, war darin nicht genannt. Hocherfreut berichtet Lichtenberg, als seine Frau ihm einmal einen Rat zum Hogarth gab. Immer häng ihr jene Anekdote an, daß, als sie eines Tages in der Küche ein Stu

Margarethe Lichtenberg, geb. Kellner (1759—1848).
Im Besitz von Georg Lichtenberg, Detmold

dent fragte, wo die «Frau Hofrätin» zu finden wäre, sie erwidert
habe: «Dat sin ek!» Förmliche Bedingung Lichtenbergs an eine Ehe-
liebste war allein der gesegnete Leib. *Ehe ich eine Frau haben wollte,*
die mir keine Kinder brächte, lieber wollte ich mir eine malen lassen
oder mich in die Muttergottes verlieben. Es ist wohl kein Jahrhundert, in dem mehr Frauen in Erfüllung der Bedingung zeitig und im
Kindbett gestorben sind. Aber Lichtenberg machte aus der Bedingung ein Kompliment und etwas Schöngeistiges: *O es liegt in der*
Männerphantasie eine Schöpferkraft, in der weiblichen Seele alsdann
Dinge zu finden oder (wenn Sie wollen) hineinzudenken und zu
dichten, die dieser Race einen Wert geben, wovon ihr Ledigen kei-
nen Begriff habt, schrieb er Sömmering.

Ohne Zweifel hat Lichtenberg die Reserve der Göttinger Gesellschaft gegenüber seiner Frau gespürt. Die Isolierung schloß jedoch das Glück nicht aus. Man wird ihm aufs Wort glauben, wenn er Gleim von seiner *mitten in Göttingen zwar fast einsamen, aber nichtsdestoweniger glücklichen Familie* berichtet. Man glaubt jenem Lichtenberg, der zum Lobredner der Ehe wird, Junggesellen als ein umgekehrter Cato sein *uxorem esse ducendam* zuruft und ein braves Sprichwort dahin lichtenbergisiert, daß es fortan *wer nicht heiratet, soll auch nicht essen* heißt! Voller Interesse konstatiert er, eine ihn entzückende, neue menschliche Erfahrung, durch die Ehe die *Erweiterung seines I c h s, und zwar über ein Feld hinaus, das sich im einzelnen Menschen durch keine Kunst in der Welt schaffen läßt. Zwei Seelen, die sich vereinigen, vereinigen sich dennoch nie ganz so, daß nicht immer noch der beiden so vorteilhafte Unterschied bliebe, der die M i t t e i l u n g so angenehm macht. Wer sich sein eigenes Leiden klagt, klagt es sicherlich vergeblich, wer es der Frau klagt, es einem Selbst, das helfen kann und schon durch die Teilnahme hilft.* Das verrät zugleich die andere erschöpfende Rolle, die seiner *lieben Bett-Schwester* in Lichtenbergs, des Hypochonders Leben zukam: Krankenschwester bei Bedarf zu sein, Anteil zu nehmen, bis an den Rand des eigenen Nervenzusammenbruchs. *Tränen meiner l. Frau bei Tische, über mein Mißvergnügen, das doch von Kränklichkeit herrührt,* trägt Lichtenberg am 20. September 1791 ins Tagebuch. Billette an seine Frau sagen nichts von einer aufgeregten Leidenschaft. Sie sind jedoch voll einer hübschen Zärtlichkeit, witzige Liebkosungen die Anrede: *Liebes Fleisch von meinem Fleisch* und *liebes Bein von meinem Bein.* Sie haben etwas Zeitloses an sich und ermangeln vielfach ja des Datums, das Jahrzehnt hindurch: kleine Sätze, Ereignisse, kleine Verstimmungen, nette Vertraulichkeiten wie *Warte nur, wenn Du ein kleines Mädchen mit zwey Schwäntzen zur Welt bringst, so hast Du die Schuld . . .*

Ohne Fehl jedoch gebar sie ihm, beinah in Abständen von zwei Jahren, ein halbes Dutzend Kinder. Neuerdings ein schwelgender Maler väterlicher Freuden und familiärer Feste stellt sich Lichtenberg in Bildchen dar, die Titel tragen wie: der Jahrestag seiner *glücklichen Verbindung mit einer liebenswürdigen Gattin* oder: Vaters Geburtstag. *Da konnte ich vor Wünschen, Blumengeruch, Bändergeräusch und Küssen von alten Männern und jungen Weibern und Kindern gar nicht zu Sinne kommen;* Champagner und eine Schüssel junger Saubohnen rauben ihm alle Denkkraft, und er wundert sich nun nicht mehr über jenen Prediger, der sich versprach und *statt der letzten Posaune ausrief die letzte Saupohne.* Man imaginiere sich den Hofrat, der seinem 1791 geborenen Sohn Christian Wilhelm zum Geburtstag ein Gedicht schreibt, dessen Refrain und *Repetier-Arie (mit Trompeten Schwärmern und Raketen)* also lautet:

> *In der Welt ist kein Spaß*
> *Ohne blitzblauen Hintern und Grind auf der Nas . . .*

Man erfährt den Vaterstolz auf die kluge Originalität seiner drei-jährigen Mimi, aber in dem liebenden Vater immer auch den unbe-stechlichen Beobachter. Denker selbst oder gerade dann, wo es sich um Äußerung des Kindes handelt, werden ihm Gebärden und Ge-sicht zur Fundgrube für gewagte Gleichungen, bedeutende Schlüsse. Man erlebt ihn nicht zuletzt in einem sehr lichtenbergischen Elemente als Erzieher, längst gefaßte, sozusagen britische Gedanken nunmehr in die Tat umsetzend. Mit dem Stock, wenn es sein muß: *Den älte-sten Jungen zum ersten Mal geschlagen*, schreibt er am 2. Juli 1794 und fährt fort: *Es jammert mich nachher sehr!* Von jeher überzeugt, daß man Kinder schon in jungen Jahren dahin bringen müsse, *daß ihnen alles Undeutliche völlig unverständlich wäre*, beredet er schon mit dem Zehnjährigen nicht gemeine mathematische Probleme, plant er für die Söhne überhaupt, *in ihren Köpfen mit Naturwissenschaft, Mathematik, Geschichte und Sprachen* aufzuräumen und aufräumen zu lassen: ... *aber eigentlich studieren, ich meine predigen, Prozesse führen und Rezepte schreiben lernen sollen sie nicht, es müßte denn der seltene Fall eintreten, daß sie ohne Schläge nicht davon abzu-bringen wären.* Der Älteste wurde denn auch königlich hannöver-scher Generaldirektor der direkten Steuern — dessen erstgeborner Sohn übrigens hannöverscher Kultusminister —, Christian Wilhelm Steuerdirektor und Bevollmächtigter des Zollvereins in Stettin, wäh-rend der Jüngste, der 1797 geborene August Heinrich, die Forstlauf-bahn einschlug.

Wie die völlige Eröffnung dieses ganzen Prospektes *häuslicher Glückseligkeit* mutet endlich jener Brief an, den Lichtenberg nach der Geburt der Tochter Auguste Friederike 1795 seinem hagestol-zen Bruder schrieb: *Der Himmel hat am vergangenen Sonnabend unsere kleine Herde wieder mit einem M u t t e r s c h ä f c h e n ver-mehrt. Ich schreibe dieses mit Empfindungen, die mir kaum noch die Fähigkeit dazu lassen ... Die Güte, die Geduld und das Vertrauen auf den Himmel bei dieser vortrefflichen Frau und unsere wechsel-seitige Liebe, die Freundschaft, die täglich wächst, sind nicht für Wor-te ... Als ich ihr den liebevollen Schluß Deines Briefes vorlas, drück-te sie mir die Hand und wendete ihr Gesicht ab, um ihre Freuden-tränen zu verbergen ... Friede und häusliches Vergnügen den ganzen Tag. Liebe für unsere Kinder und unserer Kinder für uns, keinen Pfennig Schulden usw., wer das sehen will, der komme zu uns. Sind wir unglücklich, so haben wir den Trost, es weniger verdient zu haben als irgendeine Familie in der Welt.* Man verweint, bei derart gemütlichem Überfluß, sich in einer Szene jener Familiengemälde, die seit 1780, seit Otto von Gemmingens «Deutschem Hausvater» die Bühne bevölkerten; man vermutet Kotzebue, auch Iffland zu Pa-ten. Unglaubwürdig ist sie darum nicht. Man kennt jenes wimmlige Gemälde Wielands in dem Kreis der Seinen und denkt an gleich-zeitige Kupfer Chodowieckis, der im Bilde festhielt, was da Lichten-berg in Worte faßte: «Häusliches Fest am Geburts-Tag des Vaters» so getreu wie «Die glückliche Ehe»!

Der älteste Sohn: Georg Christoph Lichtenberg (1786—1845), Generalsteuerdirektor. Im Besitz von Georg Lichtenberg, Detmold

Man traut nun dem Frieden nicht so recht. Nach dem Augenschein gleicht da Lichtenberg vollendet jenem Etikettenmanne, wirkt sein Leben als nach jenem einfältigen philosophischen Polizei-Formular ausgefüllt, dem er doch in der Beschreibung seiner selbst mit Fleiß, mit nichts kaschierender Wahrhaftigkeit entgegnen wollte. Soll man froh sein, daß er es stichworthaft, verschlüsselt in seinen kürzlich von Mautner im Auszug mitgeteilten Tagebüchern der neunziger Jahre tat? Sie gesellen zur Verwunderung über Lichtenbergs wortreiche Idyllenmalerei die Fassungslosigkeit über ein eher einsilbiges Elend. Lediglich durch ihre Existenz machen sie die andere Idylle zum Zerrbild oder diesen Alltag zum Albtraum.

Dann liest man bei Gelegenheit seines vierundfünfzigsten Geburtstages: *Natalis dies, wahrscheinlich der letzte!!* Von dem Fest der Familie, Weihnachten 1790, bleibt das dürre Fazit: *Abend die Begehung, wenig Freude für mich in der Welt mehr.* Kinder werden dort zu einer Strafe des Himmels, gute Hoffnungen zu Schrecknissen mit vier Ausrufungszeichen. *Heaven assist us* und *du großer Gott* sind seine Stoßseufzer bei Verdacht erneuter Schwangerschaft. In den Sudelheften rühmt er einmal, daß in ihrer Ehe seine Frau und er sich förmlich im Scherz zanken, *wo denn jeder so viel Witz zeigt, als er auftreiben kann. Dieses tun wir, um der Ehe ihr Recht zu lassen.* Der Wirklichkeit des Tagebuches fehlt dieser Witz. Der Streitigkeiten sind so viele, daß sich Lichtenberg begnügt, durch Zeichen sowohl Streit wie seine Beilegung abzukürzen. Man hat danach das Empfinden, als werde ihm alles zu viel, als entsage er der Konvenienz *des kleinen monarchischen Staates* — wie er einmal die Familie nannte —, *an dessen Spitze er selbst steht*: Anarchist und konservativ in einem. Jene Tagebücher offenbaren die Beziehung Lichtenbergs zu, mindestens, einem Mädchen, wahrschein-

‹Häusliches Fest am Geburts-Tag des Vaters».
Kupferstich von Daniel Chodowiecki, 1797

lich einer Dienstmagd Dieterichs. Als *Doly*, übrigens auch *devil* und
Satan, wird sie im Dezember 1793 zum erstenmal von Lichtenberg
namentlich genannt, das letzte Mal zehn Tage vor seinem Tod. Um
den Gegenstand erfindet Lichtenberg ein buntscheckiges Vokabular,
Decknamen, Kürzel, bedient er sich des Lateinischen, oft des Englischen, selbst eines griechisch geschriebenen Englisch. Es ist eine pure
körperliche Angelegenheit wie andere mehr. Am 25. April 1794 kann
er verbuchen: *Tandem, tandem added to the number the poor devil
in spite of all resistance. Horridly angry, but soon reconciled, and
as kind as ever.* Eigentümlich ist allein das seelische Verhalten Lich-

tenbergs. Den Eroberer, der er sein will, den Ehebrecher, der er sein wird, ängsten Furcht vor der Entdeckung und das Gefühl der Schuld gegenüber seiner Frau dermaßen, daß er unfähig ist, Vorlesungen zu halten, und Nervenanfälle bekommt. Die Jahre ändern daran nichts. Man bemerkt einen ständigen Wechsel von Lust und Schuldgefühl, Ängsten: vor dem Skandal, vor einer womöglichen Schwangerschaft Dolys, Vorsätzen, Schluß zu machen, und dem mangelnden Willen dazu, kurz, ein doppeltes Tun, wohl angetan, auch den Gesundesten zu entnerven.

War es für den nervenkranken Lichtenberg am Ende heilsam? *Wenn man alt wird, muß man sich wieder junge Katzen und junge Ziegen anschaffen, um das bißchen Konsonanz, das sich noch in den weichsten Fibern findet, wieder zu erwecken.* War es etwa das? Man hat die unmäßige Achtung auf den eigenen Körper vereinfachend Hypochondrie genannt. Scheint es nicht so, als wäre Lichtenbergs Leiden, aus der Körperlichkeit nicht mehr den Ausweg zu wissen? Wohl sagt er zu Recht, daß sein Körper derjenige Teil der Welt sei, den seine Gedanken zu verändern vermögen. Das Körperliche hat gleichwohl nicht geringere Macht über seinen Geist: *Der Mensch ist nicht in den Erdball einorganisiert, sondern bloß in seinen Körper.* Mit dem astronomischen Zeichen für Venus bezeichnet Lichtenberg den Akt. Von 1792 an beziffert, versieht er jeden mit genauer Zeitangabe und Bewertung. Merkwürdig auch, daß Lichtenberg in jenen Jahren seine Aufmerksamkeit als Forscher stark den Menschen zuwendet, rein physiologisch Teilen seines Körpers wie Auge und Ohr; über Embryo, phosphoreszierenden Samen und Mumienkopf mit Sömmering und Blumenbach korrespondiert. Es ist seltsam, daß der Ausbruch aus dem Tabu die Einbildungskraft auf einen Schlag in Abgründe einer ungeheuerlichen sexuellen Phantastik verführt: dem gab Kotzebue in seiner Bühnen-Satire von «Doctor Bahrdt» bestürzenden Ausdruck. Man könnte da von der *moralischen «backside»* jener Epoche sprechen wie Lichtenberg von der des Menschen! Wenn Lichtenbergs Ehe so ein modestes Schauspiel war: seine Liebschaft ist, fern aller Besserungsästhetik, ein gleich beklemmendes Satyr-Spiel. Daß die Dinge aus dem Lot seien, hatte sich der junge, unglücklich liebende Lichtenberg gesagt. Dem Alternden ist der Mensch selbst aus dem Lot geraten mit jener Zeit der Revolution. Das ist eine Unordnung auch im Seelischen, die der im Geiste nur zu genau entspricht: eine Irritation durch die ganze Person. Man findet ihren festen Punkt nicht mehr oder nur in dem wieder, was Lichtenberg bei seinem Schreiben heischte: Aufrichtigkeit. Aber das heißt eine Aufrichtigkeit, wo das Leben zweideutig und Versteckspiel war.

Desto wunderbarer mutet in den Schöpfungen der Jahre uns die Gabe an, einen Stil der gleichmäßig feinen Geistigkeit, des weisen Spaßes, der heiteren Beratung zu schreiben, als wäre da nicht: die Verworrenheit und Sorge, das Gefühl des Unvermögens, die Qual des Schreibens. Mehrmals beteuert er, alle seine Werke *mit einem*

FF gestempelt zu haben als den Anfangsbuchstaben seiner *Hausgötzen, denen ich täglich opfere, Fama und Fames;* behauptet er, am Anfang seines Schreibens stehe die durch den Franzosenkrieg bewirkte Teuerung. Es wäre fahrlässig, Lichtenbergs Jeremiaden gegen ihn zu wenden: ein anderes ist der leidende fahrige Mensch, ein anderes der Launenschriftsteller. Nie war Lichtenberg auf dem Papier ausgelassener als nun. Es ist dasselbe Bild: Pläne, die liegen blieben, Aufsätze an Stelle weiter Traktate. Aber beinahe muß man — nach der Quantität in jedem Fall — den Schriftsteller der neunziger Jahre fruchtbarer und gewichtiger nennen. Mehrere seiner eigentümlichsten Schöpfungen sind erst dann entstanden, die voluminösesten von 1794 an erschienen: die *Ausführliche Erklärung der Hogarthischen Kupferstiche!*

G. C. Lichtenbergs

ausführliche Erklärung

der

Hogarthischen
Kupferstiche,

mit verkleinerten
aber vollständigen Copien derselben

von

E. Riepenhausen.

Erste Lieferung.

Göttingen
im Verlag von Joh. Christ. Dieterich
1794.

Da ich so entsetzlich aufgefordert werde, meine Beschreibung herauszugeben, schrieb er 1792 an Blumenbach, *so bin ich auch jetzt unter der Hand daran, und zwar bloß in der Absicht, mir etwas zu verdienen à la Bertuch,* das ist nach Art des geschäftstüchtigen Großverlegers in Weimar. Fünf Lieferungen brachte Lichtenberg zustande, ehe er starb. Sie enthielten die «Herumstreichenden Komödiantinnen», «Eine Mitternachtsunterhaltung», «Die vier Tageszeiten», den «Weg der Buhlerin», den «Weg des Liederlichen» und — unvollständig — «Fleiß und Faulheit». Der fünfjährige Arbeitsprozeß selbst schilderte den Weg des Überdrüssigen: nach der anfänglichen Schaffensfreude war Lichtenberg in den Begleitschreiben zu den einzelnen Lieferungen von Mal zu Mal unlustiger, 1798 ihm das Ganze *wirklich mehr das Produkt bezahlter Pflicht als eines reinen Naturtriebes, der mich in Wahrheit nur selten angewandelt hat . . .* In abschätzigem Tone sprach er Freunden und Bekannten von *Zerklärungen* und *skandaleusen Excursionen* über Hogarth. Aber in dem Hochgefühl der respektablen Leistung machte er sie gleichwohl zum Geschenk, das sich als Auszeichnung verstand, für: Kant, *der zuerst angefangen hat, mir seine Schriften zuzuschicken;* Goethe («Wilhelm Meister» gegen Hogarth); Blumenbach und Kästner in Göttingen; Johann Joachim Eschenburg, den Freund in Braunschweig, Shakespeare-Übersetzer und bedeutenden Vermittler englischer Literatur, der Lichtenberg *mit vortrefflichen Winken unterstützt hat.*

Mit einer wissenschaftlichen Akribie, dem Mikroskop seines Witzes, unter Benutzung der einschlägigen Literatur, nach Befragen von Engländern, dank seiner Kenntnis von Sprache, Land, Sitten und Leuten machte er sich, prädestiniert wie kein anderer, an das Werk. Und hätte damit nur, nach seiner Definition, den ersten, prosaischen Weg gewählt, Hogarths Werke zu erklären. Ihm war es aber um den p o e t i s c h e n Weg zu tun: *Was der Künstler da g e z e i c h n e t hat, müßte nun auch so g e s a g t werden, wie er es vielleicht würde g e s a g t haben, wenn er die Feder so hätte führen können, wie er den Grabstichel geführt hat.* Zu Recht rühmte er sich in der Vorrede von 1794, der erste gewesen zu sein, der sich auf diesem Wege versucht hat: *Ich hatte keine Vorgänger, weder in Deutschland noch in England noch in irgendeinem Land.* Einmal wenigstens bestätigte er sich als Originalgenie, schuf er ein durch und durch unnachahmliches

«Finis». Kupferstich von William Hogarth

Unikum: selbständig und doch leserlich nur mit dem Bild, nicht Kunstbetrachtung, obwohl es von Kunstwerken sprach, und auch nicht satirische Dichtung, obgleich die Hogarths satirische Bilderbogen waren.

Dem «genialischen Kommentator Hogarths», wie Jean Paul sagte, zollte das literarische Deutschland einhellig Beifall. Nur um dieses einen Werkes willen gab man ihm gern «eine der ersten Stellen unter den geistreichsten Humoristen», nannte man ihn unsterblich, wenn er gleich nichts anderes geschrieben hätte. Es beeindruckte noch die Romantiker. August Wilhelm Schlegel pries desto mehr die feine Kunst Lichtenbergs, als ihn die platte Tendenz der Hogarthschen Gattung verdroß; E. T. A. Hoffmann plante mehrmals nach dem bewunderten Vorbild satirische Erklärungen zu schreiben. Aber der Unterschied zwischen dem späten Rationalismus und der Romantik ist auch der: Lichtenberg hatte seine Affinität zu Hogarth, der durch ihn zum Zeitgenossen Goyas wurde; Hoffmann stöberte Callot auf;

eigentlich von heute ist aber Goya. Bekanntlich war Goethe der Meinung, daß Lichtenbergs Hogarth in Deutschland lediglich ein gemachtes Interesse habe erregen können. Denn «wie hätte der Deutsche, in dessen einfachem, reinem Zustande sehr selten solche exzentrische Fratzen vorkommen, hieran sich wahrhaft vergnügen können?». Wenn Hogarth solches Echo fand, so führt es Goethe unter anderem darauf zurück, daß man zur Betrachtung und Bewunderung seiner Stiche nur «bösen Willen und Verachtung der Menschheit» mitzubringen brauche. Von Hogarths misanthropischer Laune und Manier der Karikatur, Verleumdung der menschlichen Gestalt sprach 1779 der Artikel eines Ungenannten im «Deutschen Museum». Diese Eigenart ließ Hogarth ihm als Zeichner von Romanen Sternes ungeeignet erscheinen. Denn Sternes Qualität war — für den Schreiber — die Drolligkeit. Diese Ansicht wird man nun erstaunlich finden, aber unbegreiflich geradezu, daß Lichtenberg bezüglich Hogarth von *dem ganzen tenore seines drolligten Geistes* sprach, vom drolligten Genie, das er aus allen seinen Werken erklären wollte!

Ohne Zweifel wird, wer Goya kennt, Hogarth nicht fratzenhaft oder gar grotesk nennen. Bei Hogarth noch saß das Dämonische, die Groteske in den Winkeln seiner Bilder, und im wahren Sinn des Wortes:

man denke an das ein Kind nährende Adlerweib, den obszönen Affen auf dem Bild der «Komödiantinnen»; man vergegenwärtige sich bei der «Schnapsgasse» den beunruhigenden Hintergrund, der einstürzende Häuser zeigt. Goya ist aus seinen Blättern fast nicht zu verstehen. Seine Personen sind Akteure ohne Handlung. Das macht sie auf den ersten Blick befremdlich und danach grauenhaft. Der ihnen von Goya beigegebene Text verharmlost: Groteske will da wieder Satire scheinen. Hogarths Bilder erscheinen auf den ersten Blick als harmlos. Wenn man sie in ihrer totalen Aktion, die aber monoton und beinah stehengeblieben anmutet, betrachtet, sind sie nicht weniger unverständlich als Goya. Aber sie wirken darum nicht befremdlich. Las man danach die Erklärungen, erkennt man jäh und schaudernd, was in Hogarths Gestalten wie das *Pulver in der Bombe* schlief: *...wenn sie sich gegeneinander bückten, so bückte es sich mit!* Ist Goya schlechthin ungeheuerlich: bei Hogarth kommt das Nichtgeheure nach und nach. Seine Bilderbogen sind bösartige Gesellschaftskomödien, die in Bedlam sozusagen enden; Lichtenbergs Texte dazu enden in seiner Person! Aus Lichtenbergs Hogarth erfährt man, wie witzig dort das Greuliche, nicht wie greulich es ist. Zum Beispiel kann uns Hogarths «Finis» dienen, das Lichtenberg im Kalender für 1791 vorgestellt hatte. Ein dem heutigen Geschmack anheimelnderes Blatt. Alles ist darin auf Ende eingestimmt. Die Sonne stürzt, die Zeit entschläft, die Palette des Schöpfers selbst liegt leer auf dem Boden, das Chaos wird zum Exekutor und Erben eingesetzt. Aber Lichtenberg geht darüber hinweg und augenscheinlich weniger inspiriert sogar. Wo Hogarth, selten genug, Abgründe aufrührte, spielte Lichtenberg bloß an, wurde einsilbig, verstummte. An Stelle einer eigenen Erklärung zu «Finis» zitierte er den Vierzeiler eines Engländers, der Hogarth nicht wohlwollte:

> Der alte Hogarth setzt, das heiß ich dankbar seyn,
> Zum Erben seines Werks das alte Chaos ein:
> An des Anarchen Thron nun künftig aufgestellt,
> Wirds kommen, daß man den selbst für den Autor hält.

Die Annahme, daß Lichtenberg für das Vertrackte in Hogarth kein Gespür gehabt habe, widerlegt der Inhalt seiner Sudelhefte, in denen man das Groteske mindestens als seelische Dimension entdeckt. Goethe rühmte an Lichtenbergs Erklärungen das glückliche Gleichgewicht, in dem sich alles untereinander halte. Man kann sagen, daß der Schriftsteller des achtzehnten Jahrhunderts, der Spätrationalist wie Lichtenberg, vor der Öffentlichkeit nur desto undämonischer, beherrschter schrieb, je mehr er bei sich selbst um die Dämonen wußte. So nur ist es begreiflich, daß auch ein im Nachlaß bewahrtes Fragment des alten Lichtenberg über die Farben des Gemüts, Wahnsinn und Melancholie, Zustände, die er aus dem eigenen Erleiden kannte, gleichsam untief bleibt und Werk des heitern Kunstverstandes: Mozarts Name fällt einmal darin! Der Vorwurf des Rationalismus an den Sturm und Drang war, daß hier Dichtung zur Verlautbarung des ärgerlich Privaten, Chaos zum Autor wurde!

Im Jahr 1800 tritt die 8 wieder in die Stelle der Hunderter, die sie seit dem Jahre 899 nicht besessen hat und nicht ehe bis 2800 wieder einnehmen wird. Eine Anrede an die übrigen Ziffern könnte ein guter Kalenderartikel für den Kalender von 1800 werden: Es ist schon ein sehr guter Artikel des Kalenders für 1799 geworden. Es ist viel Witterung von dem ausgehenden Jahrhundert in diesem Kalender. Oder sagt man besser eine Ahnung des kommenden? Diese Ansicht legt ein Aufsatz nahe, der den Titel trägt: *Daß du auf dem Blocksberge wärst. Ein Traum wie viele Träume.*

Wiederum machte ein Stück Lektüre seine Phantasie erfinderisch. Lichtenberg erwähnt die Quelle in einer Fußnote selbst: *Wer eine sehr merkwürdige neuere Verwünschung auf den Blocksberg lesen will, wird sie im 2ten Hefte des IVten Bandes der neuesten Staatsanzeigen S. 142 finden. Der Verwünscher ist ein rechtschaffener Mann, der Franziskanerpater Guido Schulz.* Nach der Lektüre ungefähr im September 1798 hatte sich Lichtenberg notiert: *Das könnte zu einer nützlichen Dichtung Anlaß geben.* Da der Kalender noch im Herbst erschien, muß er also sehr zügig geschrieben haben: desto größer erscheint Lichtenbergs Frische und Schöpferkraft, wenige Monate vor seinem Tode! Eine nützliche Komposition ist die Erzählung vielleicht, sicher aber eine der schönsten Kalendergeschichten Lichtenbergs. Sie zeigt ihn uns als einen souveränen Plauderer. Jener *Traum wie viele Träume* ist zunächst nichts anderes als eine Plauderei aus der Schule, Werkstatt, den Heften Lichtenbergs, wenn man so will; ein Doppelspiel mit Wahrheit und Dichtung, alten fast vergessenen Ideen, die rechtzeitig einfallen. Die faszinierendste ist jene von dem doppelten Kronerben:

In einem bisher nicht sehr bekannten Reiche Asiens gibt eine geliebte Königin außerordentliche Hoffnung zu einem Thronerben oder, eigentlich zu reden, Hoffnung zu einem außerordentlichen Thronerben. Denn wirklich wuchsen die Hoffnungen gegen das Ende der Schwangerschaft so stark, daß man sich öffentlich ins Ohr sagte: es würden wohl zwei Kronprinzen auf einmal kommen. — Das Publikum fängt an, mit Meinungen schwanger zu gehen, ebenfalls doppelt und ebenfalls eine schwere Geburt verkündigend. — ...Bulletin: Gestern abend wurde Ihre Majestät von zwei Kronerben glücklich entbunden, beide vollkommen ausgebildet, schön, gesund und munter, nur am unteren Teile des Rückgrats und etwas weiter abwärts zusammengewachsen und gewissermaßen Ein Stück, in allen übrigen Hauptteilen völlig doppelt ... Eine Deputation des Magistrats wünscht untertänigst, daß die Mißgeburt zum Wohl des Vaterlandes möchte sanft erstickt werden. — Unsanfte Erstickung der Deputation von Rechtswegen. — Tiefsinnige Untersuchung über den Wert des Doppelten in der Welt. — Von Leib und Seele. — Vom doppelten Adler ... Die Dichter sprechen von einem Versuch der Natur, endlich der Welt ein Modell von einem vollkom-

menen Regenten zu geben. Das Kind heißt bei ihnen bald C a s t o r und P o l l u x an einem Stück; bald M a j o r i t ä t und M i n o r i t ä t an einem Stück, und einer nennt es sogar den Z w e i e i n i g e n. Erziehung bis zur Beinkleiderzeit und Schnitt dieser Beinkleider ... Neigungen des Doppelprinzen fangen an zu keimen. Der eine zeigt viel Hang zur Spekulation und einem sitzenden Leben, der andere zum aktiven. — Sonderbare Szenen, die sich daraus schon jetzt ergeben. — Ärzte und Schneider lachen, der Klerus und die Philosophen weinen. — Doppelte Pagen, doppelte Kammerdiener und doppelte Hofmeister. Es will sonst nicht gehen. Hiermit schließt sich der erste Teil. — —

Das ist Lichtenberg, durch sich selbst zur Anschauung gebracht, und eine alte Idee, wie seine Merkbücher ausweisen. Halbvergessen war sie darum nie: daran hinderte ihn schon ein Blick in den Spiegel. Man weiß sogar, seit wann er die Idee zu dem Roman mit sich trug: er hat es getreulich notiert. Es ist der 7. Oktober 1785, unmittelbar nach der Lektüre von Smolletts «Roderick Random». Dieterich hat nach dem Tode Lichtenbergs verwundert konstatiert, daß von dem versprochenen Roman nichts existierte. Er kannte seinen Freund nicht fein genug. Wenn er mit der prosaischen Selbstbeschreibung schon nicht zu Rande kam, wie sollte er mit einer metaphorischen reüssieren können? Man ist versucht zu sagen, Lichtenberg habe rasch vor seinem Tode noch den Romantikern einen Begriff geben wollen, wes Geistes Kind er war. Hoffmann wenigstens verstand es so. In der «Prinzessin Brambilla» findet man den doppelten Prinzen wieder, wenngleich mit Eigenem verbrämt. Und Jean Paul hat in seinen tragischen Humoristen jenen Dualismus gestaltet, den Lichtenberg lebte und soeben schriftlich skizzierte. Es ist seltsam, daß er in dem gleichen Jahre, beinahe um die Zeit, da er den Abriß gab, Jean Paul für sich entdeckte. Es war seine letzte durch und durch betreffende Bekanntschaft: *Ein Schriftsteller wie Jean Paul ist mir noch nicht vorgekommen, unter allem, was ich seit jeher gelesen habe. Eine solche Verbindung von Witz, Phantasie und Empfindung möchte auch wohl ungefähr das in der Schriftsteller-Welt sein, was die große Konjunktion dort oben am Planeten-Himmel ist. Einen allmächtigeren Gleichnis-Schöpfer kenne ich gar nicht. Es ist, als wenn in seinem Kopf sich jeder Gegenstand in dem Reiche der Natur- oder der Körperwelt sogleich mit der schönsten Seele aus dem Reich der Sitten, der Philosophie oder der Gnade vermählte und nun ihr in Liebe verbunden wieder hervorträte.*

Jean Paul war der letzte große Zeitgenosse, den Lichtenberg, Physiognomist, der er ist, im Bild zu sehen wünschte; Jean Paul, man merkt es nur an dem, was ihn besticht, der Dichter, der er immer hatte werden wollen. Sein Brief ist wie ein Durchbruch von Erkenntnis: dahin war er unterwegs, aber ihm ermangelte die *große Konjunktion*, wie er schon 1776 einem Freund gestand. Man sollte Lichtenberg nicht immer auf die Nachfolge Smolletts oder Sternes festlegen. Es ist ungereimt, daß Lichtenberg nicht das mit Leichtigkeit

Jean Paul (1763–1825). Gemälde von Heinrich Pfenninger, 1798

vermocht hätte, was bescheidenen Talenten gut gelang, Yorick nämlich zu kopieren: wenn es ihm darum zu tun gewesen wäre. Jean
Pauls Urteil über Lichtenberg, den «Helden des Witzes», ist eine
seines Lobredners ebenbürtige Würdigung und zugleich ein tiefsin-
niges Gericht: Lichtenberg, sagte er in der «Vorschule», «hätte bei
seiner astronomischen Ansicht des Welttreibens und bei seiner wit-
zigen Überfülle vielleicht etwas Höheres der Welt zeigen können als
zwei Flügel im Äther, welche sich zwar bewegen, aber mit zusam-
mengeklebten Schwungfedern!» Es hat aller Einfalt zum Trotz eine
rührende Richtigkeit, wenn sich Dieterich nach Lichtenbergs Tod an
den «Gelehrten» Jean Paul wenden wird: «Ich erinnere mich, daß
dieser Seel. Freund mir öffters von Ihnen erzählte und auch Ihr

147

Freund war. — Da ich nun den Callender, auch den Hogarth fortzu-
setzen wünsche, so frage ich hiemit an, ob Ew. Wohlgeb. wohl so
geneigt seyn wolten... solche oder eins davon für die Zukunft zu
übernehmen. — — —»

Jean Paul wäre allerdings der einzige gewesen, der mit Selbstbe-
wußtsein dem Kalendermacher und Hogarth-Kommentator Lichtenberg hätte gegenübertreten können. Es ging ihm jedoch nicht um
Fortsetzung einer Tradition. Die Nachfolge Lichtenbergs in der Herausgabe des Kalenders trat Christoph Girtanner an. Und für die Ho-
garth-Texte waren Lyser, Bouterwek und Gutzkow klug und Schriftsteller genug.

DER TOTE, DER POSTUME

> *Unser Leben kann man mit einem Win-*
> *tertag vergleichen, wir werden zwischen*
> *12 und 1 des Nachts geboren, es wird 8*
> *Uhr, ehe es Tag wird, und vor 4 des*
> *Nachmittags wird es wieder dunkel, und*
> *um 12 sterben.*

Ob das Jahrhundert 1799 ende oder erst im Jahre 1800, hatte
Lichtenberg noch Zeit und Laune zu fragen. Aber nie mehr löste er
das seinen Lesern 1793 gegebene Versprechen ein, in dem Kalender
auf das Jahr des Zeitenwechsels klären zu wollen, warum *das Jahr
1800, auch das 1900, kein Schaltjahr sein wird, sondern erst das
2000 wieder (vorausgesetzt, daß sonst alles beim alten bleibt).* Für
Lichtenberg, so wollte es sein elender Körper, war sein Jahrhundert
1799 zu Ende. Die ihn kannten, auch nur zu kennen meinten, hatten
dann das Wort, Leser, Schüler und Kästner. Am Sonntag Oculi, dem
24. Februar 1799, morgens um acht Uhr, «verließ der große Geist
die sterbliche, zerbrechliche Hülle, mit der er umgeben war, und ging
zu den Wohnungen des ewigen Friedens über, wo weder Krankheit
noch Schmerzen mehr seyn werden», berichtet in dem Galastil der
Zeit ein Schüler. *Es geht ans Leben dieses Jahr. Mutter wird helfen,*
hatte Lichtenberg zum neuen Jahr ins Tagebuch geschrieben und
wenig mehr als einen Monat vor seinem Tod einem Bekannten brieflich ein genaueres Bulletin gegeben: *Mit meiner Gesundheit war es
sehr herunter. Ich habe einen Husten gehabt, der mich wenig schlafen ließ. Jetzt Gottlob ist es wieder so so.* Nachdem man um seinen
nahen Tod weiß, mögen die Schlußworte seines zuletzt geschriebenen Briefes — ein jähes Adieu, Adieu — wie «eine Art von weissa-
gender Ahnung» (Schlichtegroll) stimmen. Aber da sind Hinweise,
daß Lichtenberg nun, dem oft erwarteten Tode nah, den Tod nicht
durchschaute.

Fünfzehn Nächte vor seinem Ende hat er einen Traum. Seine Niederschrift gehört zu den letzten Aufzeichnungen des letzten Sudel-

heftes. *In der Nacht vom 9ten auf den 10ten Februar 99 träumte mir, ich speiste auf einer Reise in einem Wirtshause; eigentlich auf einer Straße in einer Bude, worin zugleich gewürfelt wurde. Gegen mir über saß ein junger gut angekleideter, etwas windig aussehender Mann, der, ohne auf die Umhersitzenden und -stehenden zu achten, seine Suppe aß, aber immer den 2ten oder dritten Löffel voll in die Höhe warf, wieder mit dem Löffel fing und dann verschluckte. Was mir diesen Traum besonders merkwürdig macht, ist, daß ich dabei meine g e w ö h n l i c h e Bemerkung machte, daß solche Dinge nicht k ö n n t e n erfunden werden, man müsse sie sehen (nämlich kein Romanenschreiber würde darauf verfallen), und dennoch hatte ich dieses doch in dem Augenblick erfunden. Bei dem Würfelspiel saß eine lange hagere Frau und strickte. Ich fragte, was man da gewinnen könnte; sie sagte: n i c h t s; und als ich fragte, ob man was verlieren könne, sagte sie: n e i n! Dieses hielt ich für ein wichtiges Spiel.*

Der letzte notierte Traum Lichtenbergs sagt eigentlich nichts über Krankheit und Todesnähe aus, man müßte denn die Strickende als eine Norne und die Wür-

fel schicksalhaft nehmen. Béguin sprach von der beklommenen Drolligkeit des Traumes. Sein Interesse liegt vielmehr in der Bemerkung, die den Traum begleitet, ihn über-, nicht durchschaut. Wiederum ist es der Autor, der von Lichtenbergs eigentlichem Ich zuerst zu sich kommt und abermals ein Kapital aus Träumen zu schlagen versucht, das dem Schriftsteller zugute käme oder einer Theorie von neuem Schreiben überhaupt.

Der Professor hat im «Staatskalender auf das Jahr 1799» schon die Namen von sechzehn Studenten für das kommende, das Sommersemester eingetragen. Die Notizen reichen durch den Januar und enden am 18. Februar. Zum 7. Februar erscheint ihm wichtig genug zu vermerken: *Jahrmarkt!* Man weiß aus Briefen, wie über-

*Das Grab Lichtenbergs und seiner Frau auf
dem Bartholomäus-Friedhof in Göttingen*

schwenglich dieser spielerischste Leichtfuß des deutschen Rationalismus solche *Markttäge* liebte. Am 14. Februar erwähnt das Tagebuch
zum letzten Male Dolys: ... *viel Satan den Abend.* Das Datum des
18. Februars trägt jener umfängliche Brief an seinen Bruder in Gotha,
den Schlichtegroll einen «Beweis seines innig teilnehmenden Gefühls
an den Zeitumständen und der Literatur» nannte. Man könnte ihn auch

den Lichtenberg in einer Nuß nennen. Auf einen launigen Wetterbericht folgt eine Klage um das Heimatland, ein politisches Räsonnement schließt sich an, ein Kurzreferat über Antikantianismus und Fichte, ein geistliches Bekenntnis, ein Satz wie eine druckreife Maxime: *Alles, was also der eigentlich weise Mensch tun kann, ist: Alles zu einem guten Zweck zu leiten und dennoch die Menschen zu nehmen, wie sie sind.* «Meines guten Bruders letzter Brief» hat Ludwig Christian an den Rand geschrieben. Über jenes Datum gibt es nichts von Lichtenbergs Hand. Am 18. Februar 1799 starb der Schreibende dem Menschen voraus, den gleich nach dem Tage, wo er diesen Brief abgehen ließ, «eine Brust-Entzündung mit Seitenstechen und Blutauswurf» befiel, der er fünf Tage darauf erlag.

Es gibt keine letzten Worte von ihm auf dem Sterbebett. Es gibt aber, von dem Schüler dem Schüler mitgeteilt, diese Schilderung seines Todestages: «Lichtenberg sprach am letzten Morgen seines Lebens irre und sprach viel von den Dämpfen, von den Sternschnuppen und Gotha, von der Bestimmung der Deklination der Magnetnadel usw. — — Ich habe ihm noch etwas von seinen Haaren abgeschnitten — ich schenke Dir etwas davon — ich weiß niemand, der größere Ansprüche darauf hätte als Du. Auch nehme ich die Feder mit, mit der er zum letzten Mal geschrieben hatte. Am Hogarth waren folgende Worte die letzten, die er an ihm schrieb: Hier schließt Hogarth und ich lege die Feder nieder und mache einen Strich.» Wollte man von diesem Satz aufs Ganze schließen, so erschiene der Bericht als eine Mischung aus Dichtung und stilisierter Wahrheit. Der letzte Satz des für den Druck verarbeiteten Manuskripts vom sechsten Blatt der Folge «Fleiß und Faulheit» lautet tatsächlich: *Hogarth hat den halben Löwen angegeben, dazu paßt am besten eine halbe Erklärung, und so schneide ich die Note, so wie er den Text, hiermit mittendurch,* eine offenbar hübsch sinnliche Anspielung — und das hieße ganz lichtenbergisch die Bücher geschlossen.

Auf dem Bartholomäus-Friedhof an der Weender Landstraße wurde er begraben, nahe seines Gartens, vor den Mauern der Stadt. Nach dem Zeugnis Johann Heinrich Poppes folgten über fünfhundert Studenten dem Sarge Lichtenbergs, erwies selbst die Natur «ihrem großen Forscher die letzte Ehre. Man sah während des Leichenzuges, vormittags nach neun Uhr, außer der wahren Sonne noch mehrere glänzende Nebensonnen.» Die bei Poppe genannte Zahl von Studenten ist, wenn sie zutrifft, ein bewegendes Zeugnis für die Verehrung, die Lichtenberg bei der akademischen Jugend genoß: am 30. Mai 1799 waren insgesamt 693 Studenten an der Universität eingeschrieben. Unter den Studenten, die der Leiche folgten, möchte man sich Samuel Taylor Coleridge denken. Seinen Einführungsbrief vom 19. Februar hat Lichtenberg wohl, schwerlich aber den jungen englischen Romantiker selbst noch empfangen. Das rührendste Dokument von Schülerhand sind zweifellos «Einige Blumen auf Lichtenbergs Grab»: Nachruf Johann Georg Ludolf Blumhofs, den das «Hannöversche Magazin» im Mai 1799 veröffentlichte, launig genug von zwei Aufsätzen gerahmt, die nicht leicht prosaischer zu denken waren. «Vorschlag zur Benutzung eines Brennmaterials» lautete der eine Titel und der andere gar «Über den Kalkdünger auf Kleeäckern». Aber Blumhofs Emphase versetzte den ersten «Liebling der Grazien und Musen» der Georgia Augusta endlich in die seligen Gefilde aller Geistesgrößen: «Und als Dein großer Geist zu den Vätern überging, da war es, wie einst Gellert bei Kleistens Grabe sang: Die Erde weinte, der Himmel freute sich.»

Wollte man aber Daniel Jenisch glauben, war der Erde Teil so beschaffen, daß er noch 1799 die folgende «Apostrophe an Lichtenberg, wegen eines von ihm noch nicht erklärten Hogarthschen Kupferstichs» über das Grab hinaus richtete: «Fünf Professoren nur begleiteten Lichtenbergs Leiche: vierhundert Studenten wollten mitfolgen, aber hundert und fünfzig nur konnten's: weil alle anderen Professoren an dem Nachmittage der Begräbnisfeyer, wie gewöhnlich, lasen.» Den größeren Gehalt an Wahrheit scheint zwar, einmal abgesehen von dem nichts als sein Gefühl sagenden Blumhof, Poppes Bericht zu besitzen. Immerhin ist aber bemerkenswert, daß er von dem Begräbnis zwei Darstellungen gab. 1812 erwähnte er noch nichts von einem Sonnenphänomen und sprach unbestimmt von mehreren hundert Studenten. Erst als Sechsundsiebzigjähriger rund vierzig Jahre später wußte er genaue Zahl und Nebensonnen. Es wäre also der seltene Fall, daß das Unwahrscheinliche Tatsache und das Glaubwürdige bloß gut erfunden ist. Immerhin hatte Lichtenberg 1794 gespottet, *daß, wenn ein hiesiger Gelehrter stirbt, man es fast über ganz Deutschland schon aus den politischen Blättern weiß, ehe die tiefgebeugte alma Mater in Person ihre Klagen ausschüttet.* Am 25. Februar 1799 vermeldet der derzeitige Prorektor Christoph Friedrich Ammon «pflichtschuldigst» den Herren Geheimräten in Hannover, daß der Kollege Lichtenberg «aus dieser Zeitlichkeit zum ewigen Leben übergegangen ist». Und legt man Kästner als Maßstab für die Anteilnahme der Kollegen zugrunde, kann man füglich sagen, daß die Professorenschaft den Verlust in ihren Reihen mit wunderbarer Fassung zu tragen wußte.

Wahrhaft als ein *Erzvater* — so Lichtenberg vormals zu Heyne — hielt Kästner am 20. April 1799 vor der Sozietät in lateinischer Sprache die «Rede zum Andenken weiland Herrn Hofraths G. C. Lichtenbergs», nachdem er knapp über das Ableben am 9. März in den «Anzeigen von gelehrten Sachen» berichtet hatte. Das ist nach dem dankbaren Enthusiasmus des Schülers für den verehrten Lehrer und Gönner jetzt der abwägende Rückblick des berühmten Lehrers auf seinen vielversprechenden Schüler, ein Elogium, in dem der Lobredner selbst sich nie aus den Augen verlor. Man hat den bestürzend lakonischen Ton Kästners mit seiner schlecht verhohlenen Eifersucht auf den erfolgreichen Jüngeren zu erklären versucht; man könnte ihn einen Stil des winterlichen Alters nennen; am nächsten kommt dem wohl dieser Satz von Kästner selbst: «Mein Loos war von meiner frühesten Jugend an das Loos einer Cypresse, andere zu betrauren und traurende zu trösten.» Kästner ist der eine Überlebende der deutschen Aufklärung. Es sind nicht nur die Mitglieder der Göttinger, es sind die Begabungen in den mehreren Generationen der Aufklärer-Sozietät, denen er das Nachwort sprechen muß. Kästner hat sie alle gekannt, von Gottsched und Wolff und Gellert über Haller, Lessing, Mendelssohn bis hin zu Lichtenberg. Ein schwarzer Humorist, warnt er schließlich vor seiner «tötlichen Freundschaft».

Hatte Kästner immerhin von dem Verlust für die Universität gesprochen, so stand das gebildete Deutschland nicht an, den Tod Lichtenbergs als einen Nationalverlust zu betrauern. Friedrich Benjamin Osiander schrieb 1814 folgenden epigrammatischen Nekrolog:

> Naturam excutiens explanat physica mira,
> Et salibus gratis scripta replere solet.

Und schon 1802 hatte der Astronom Johann Hieronymus Schröter mitgeteilt, er habe einen kleinen Mondkrater «mit dem unvergeßlichen Namen unseres viel zu früh verewigten großen Naturforschers Lichtenberg bezeichnet». Lichtenberg hätte sich, so er es vermocht, gewiß mit sanftem Spott dagegen verwahrt, ein Mann im Mond zu werden. Gleichwohl erscheint nun seiner kleineren Unsterblichkeit als Wissenschaftler ein Montikelchen im Mond nicht unangemessen. In der allgemeinen Wertschätzung stand schon bald nach seinem Tod der Schriftsteller über dem Forscher. Die von dem Prediger Samuel Baur 1806 herausgegebene «Gallerie historischer Gemählde aus dem achtzehnten Jahrhundert» stellt Lichtenberg bemerkenswerter Weise nicht in dem Kapitel «Naturforscher und Physiker», sondern unter der Überschrift «Dichter und schöne Geister» dar: in der Gesellschaft von Herder, Addison und Crébillon! Dieser Wandel in der Auffassung Lichtenbergs läßt sich ebenso an den Herausgebern seiner Werke verfolgen. Von der zwischen 1800 und 1806 veranstalteten Ausgabe enthielten vier von insgesamt neun Bänden seine physikalischen und mathematischen Schriften. Die Herausgeber waren sein Bruder, der physikalische Dilettant, und der gothaische Gymnasialprofessor Friedrich Christian Kries, ein Lichtenberg durch gleiche Wissenschaft verbundener Freund und ehemaliger Schüler. An die Stelle jener Schriften traten zwei Bände Briefe, als 1844 die Söhne Lichtenbergs eine neue Originalausgabe unternahmen. Sie gingen dabei von der Ansicht aus, daß die rein wissenschaftlichen Schriften «für ein größeres Publikum überall nicht und, bei dem jetzigen Stande der Wissenschaften, auch für die Männer von Fach im Ganzen nicht mehr von bedeutendem Interesse sein dürften». Ihr Vater wäre der erste gewesen, der das Gegründete ihres Schrittes anerkannt hätte: *Meine Fragen über Physik könnten vielleicht den Titel bekommen: Vermächtnisse. Man vermacht ja auch Kleinigkeiten.*

Um so leichter fiel es den Zeitgenossen Lichtenbergs, ihn gänzlich als Schriftsteller zu rühmen. Einstimmig war das Urteil, das Jenisch 1799 in dem Satz zusammenfaßte: «Sein früher Tod ist die frischeste und tiefste Wunde der teutschen Literatur.» Man hielt ihn für wert, in einer Sammlung «ausgezeichneter Teutschen des achtzehnten Jahrhunderts» zu stehen, wie es Salzmann 1802, in der frühesten Gesamtwürdigung Lichtenbergs, tat. Was sein Name bei den Zeitgenossen galt, beweist unter anderem auch diese Art von Nachruf, wie ihn 1802 die «Beleuchtungen des weisenärrischen und närrischweisen Menschengeschlechts» veranstalteten. Ein Anonymus fingierte in diesem beliebten Spiele der Zeit «Gespräche aus dem Reiche der Toten» etwa zwischen Lessing und Lichtenberg einerseits, zwischen Lichtenberg und Lavater andererseits. Lichtenberg ist, muß es schon durch Schlagworte geschehen, gar nicht schlecht zwischen Lessing und Lavater angesiedelt, sozusagen zwischen der Kritik und Metaphysik, zwischen Ahnung und Gegenwart des Geistes. Als er starb, kannte man noch nur den satirischen Händelschlichter, den Kalendermacher, den Dolmetscher Hogarths. Es verwundert darum nicht, daß alsbald nach seinem Ableben allerart Karikaturen-Büchlein apokryph erschienen, die fälschlicherweise die Angabe «Aus Lichtenbergs Nachlaß» auf dem Titelblatt führten und mit «Hogarthischen illuminirten Kupfern» lockten wie zum Beispiel ein «Allmanach der Liebe auf 1801» — in Wirklichkeit war nicht einmal der Hogarth echt! Es mag diese pfiffige Art der Teilnahme an Lichtenbergs Tod immerhin als ein skurriles Zeugnis von seiner Wertschätzung passieren; die Trauer des Verlegers hat ja stets ein sonderbares Odium: Dieterich rüstete die Ausgabe aller Schriften seines Herzensfreundes. Aber ein Verleger in Bayreuth hatte ähnliche Projekte. Dieterich verschloß sich aber dessen Argumentation und schalt im «Reichsanzeiger» 1800 seine Ausgabe von Lichtenbergs auserlesenen Schriften dreist eine «Freibeuterspeculation». Wenn er schon kein gutes Recht hatte, so zu schelten, gute Gründe hatte er immer: seine Ausgabe war nicht zuletzt eine Möglichkeit, der Familie des Toten zu geringem Gelde zu verhelfen!

Denn Lichtenberg hatte sich in der finanziellen und ideellen Tatkraft seines Bruders getäuscht. Der Junggeselle dachte nicht daran, konnte — glaubt man seinem Brief an Dieterich vom März 1799 — gar nicht daran denken, aus Eigenem zu helfen. Darum ordnet er an, daß «alles den Kindern zu nichts Taugende», wie zum Beispiel die väterliche Bibliothek, zu Geld gemacht wird! Tatsächlich wurden Anfang November 1799 die Bücher Lichtenbergs, rund 3000 Bände, versteigert. Er verlangt das Alter der Kinder zu wissen, überlegt den Werdegang des Ältesten und rät, aus der Entfernung das Schlimmste fürchtend, in vollendet drittpersönlichem Kanzleideutsch seiner Schwägerin, «dem unmäßigen Trauren aus allen Kräften entgegenzuarbeiten». Er hat ihre Robustheit unterschätzt. Margarethe Lichtenberg überlebte den Schwager um Jahrzehnte und sah fast alle ihre Kinder vor sich sterben. Sie erlebte noch die zweite Ausgabe der Schriften ihres Mannes, dessen Andenken durch Erinnerungsfeiern, die man ihm zu Ehren am 1. Juli 1842 und 1843 in seinem Geburtsort veranstaltete, von neuem geweckt wurde. Sie starb 1848. Neben ihrem Mann liegt sie begraben.

Zum Schluß seines Briefes war Ludwig Christian auf den schriftlichen Nachlaß des berühmten Bruders zu sprechen gekommen: «Was seine sämtlichen Schreibereien [!] betrifft, es seien Briefe oder Ausarbeitungen, deren gewiß keine ungeheure Last vorhanden sein wird, so müssen diese keinem Menschen zu Gesichte gebracht werden. Sie allein werden die Güte haben, alle diese Papiere mit meiner Schwägerin zusammenzubringen, wohl einzupacken und sie wohlverwahrt, durch den sichersten Weg, an mich zu senden. Diese Vorsicht ist unumgänglich notwendig. Sie werden mich schon verstehen.» Das war unmißverständlich genug. Im mindesten die Ehrlichkeit des braven Gothaer Bürgers gegen jene Aufrichtigkeit von Lebens- und Buchführung eines dezidierten Menschen, der frisch vom Leben weg gedacht und geschrieben hatte, *ohne alles erst durch das Filtrum der Konvenienz laufen zu lassen.* Wegen der Scham seiner Zeitgenossen hatte Lichtenberg seine Selbstbiographie erst nach dem Tode veröffentlichen wollen. Die Mitscham seiner Verwandten hielt zum Teil selbst das zurück, was nur an Anmerkungen dazu geblieben war. Und am Ende des Jahrhunderts war verschollen, was noch nach der Söhne Ausgabe in Familienbesitz gewesen sein muß. Dieterich, des Bruders Forderung und den Gesichtspunkt des Verlegers bedenkend, schlug am 18. März 1799 behutsam vor, nur «das Witzige, das Nutzbare, was wir wissen, was wir schon haben und etwa noch unter seinen Schriften finden» immerhin herauszugeben. Er reduzierte sozusagen Lichtenberg zum artigen Aufklärer. Mit Sicherheit hat Ludwig Christian von dem, was er als Schreibereien abfertigte, noch zu jenem Zeitpunkt nichts gekannt. Und er mußte bei der Sichtung des Nachlasses wohl sein Urteil berichtigen. Dennoch enthalten die ersten Bände aus dem Nachlaß nicht durchaus den reinen, sondern einen da und dort gereinigten Lichtenberg: anfechtbar, wo jene Glättung der Sprache galt, ist sie einfach ärgerlich, wo sie an den Gedanken tastet.

Aber wie auch immer die Person des ersten Herausgebers und die Edition im einzelnen beschaffen waren, Tatsache ist, daß erst auf die Bekanntschaft mit dem postumen Lichtenberg sich eine höhere und gleichmäßige Schätzung seines Ranges gründete. Bis dahin war er zwar nicht ein verkanntes, aber jedenfalls ein beinah unbekanntes Genie. Schlichtegroll zufolge hat das ganze zeitgenössische Deutschland die gesammelten Schriften mit Interesse gelesen.

In dem Bremer Haus der Enkel Lichtenbergs entdeckte Leitzmann 1896 endlich acht von elf verschollenen Sudelheften. Ihre Herausgabe nach dem hundertsten Todestag bildet immer noch die Grundlage für jede wissenschaftliche Beschäftigung mit Lichtenberg. Inzwischen ist sein Los, in hübschem kleinem Format vervielfältigt zu werden. Muß man Lichtenbergs zweihundertsten Todestag abwarten, bis man ihn in einer nichts versäumenden Ausgabe kennenlernen kann?

EIN TRANSPARENTBILD DES SPÄTRATIONALISTEN

Ordnung führet zu allen Tugenden!
aber was führet zur Ordnung?

Heute Lichtenbergs Leben nachzuschreiben, heißt nicht, einen großen Unbekannten in das kurzfristige Gedächtnis rufen. Wer ihn kennen wollte, kennt ihn längst. Er hat immer seine 130 Zuhörer, das ist Leser, gefunden. Man könnte ihn jedoch benutzen, jene ganze weit vergessene Zeit des Spätrationalismus zu beschwören. *Es ist nicht der Geist, sondern das Fleisch, was mich zum Nonconformisten macht,* schrieb 1795 der nervenleidende, zum Einsiedler gewordene Lichtenberg an einen Bekannten. Das ist gewiß mehr witzig als wahr gewesen. Dennoch ist in dem bitteren Scherzwort etwas enthalten, was zugleich als ein Schlüssel zum Verständnis der Epoche dienen kann. Was Lichtenberg erlitt, war eine krankhafte Individuation, die sich der Kontrolle seines Verstandes entzog. Er stand mit dieser Erfahrung seinerzeit durchaus nicht allein. Das Studium der Biographien von Zeitgenossen fördert einen Menschen zutage, der dazu angeregt hat, von einem pathologischen Zeittyp zu sprechen. Das ist der ein Tagebuch seiner selbst führende Hypochondrist. Die Schriften, die der Rationalist der Öffentlichkeit vorlegte, haben die Epoche in den Ruf der Trivialität, der heiteren Gemütlichkeit gebracht. Es empfiehlt sich aber, die Schriften der Epoche zugleich mit den Biographien, den geheimen Tagebüchern zu lesen. Derselbe Zimmermann, der in seinem berühmten Buch über die Einsamkeit vor der Fliegsamkeit der Phantasie warnte, ist in seinem Leben dieser Fliegsamkeit Opfer geworden, in «partiellen Wahnsinn» (Goethe) verfallend. Der mephistophelische Merck verübt 1791 Selbstmord, «in affectu melancholico», wie der ärztliche Rapport sagte. Der auf dem Papier so harmonische, anmutige Sturz endet in geistiger Trübung. Das ist nicht das Merkmal des darmstädtischen Geistes im achtzehnten Jahrhundert, wie man behauptet hat: dann wäre die ganze Generation der um 1740 Geborenen, wäre der Spätrationalismus eine Art von Darmstädter Akademie. Man findet aber durchgehend dieses Merkmal: den heiteren Gesellschafter, ja Weltmann und annihilierenden Sonderling, den scharfen kritischen Geist und die Ohnmacht vor dem irgend Irrationalen. Das Magazin der Seelenerfahrungskunde war vielmehr ein Sammelsurium der Seelenkrankheitskunde. Die Psychologie, liebstes Kind des Rationalismus, gut gemeint als Führerin zur Ordnung im Seelischen, ließ Unordnungen aufbrechen, die zu fügen der Rationalismus die Souveränität nicht besaß. In der Bejahung des Individuellen und in der Beschreibung des Individuellen, in der Bedrängnis durch das Individuelle ist er stehengeblieben, einigermaßen auf verlorenem Posten. So wenig der Spätrationalist noch mit Gottscheds selbstsicherem Vernunftdenken zu tun hatte, so wenig konnte er sich mit den Bewegungen befreunden, die das

Irrationale schlechterdings bejahten. Man hat zumal Lichtenberg um gewisser Züge willen, Traum, Aberglauben, Ahnungen, Intuition betreffend, gern einen Vorläufer der Romantik genannt. Es sei demgegenüber an das obige Wort erinnert. Es handelt sich bei ihm so gut wie bei dem Typ des Spätrationalisten überhaupt um einen Subjektivismus, der als Krankheit erlebt wurde, erlitten und nicht gemeistert. Ihre Körper waren sozusagen genial. Sie selbst kamen mit ihrer Feder bloß zur Deskription. Ohne Übertreibung kann man sagen, daß der späte Rationalismus mehr Wahnsinnige, Sonderlinge, Nervenkranke im Leben gesehen hat, als die Romantik auf dem Papier vorstellte. So gesehen, ist es Jean Pauls Leistung, die Dämonen jener ihm wohlbekannten Epoche aus den vier Wänden in den bizarrorganisierten Körper seiner seiner Kunstgestalten zu bannen. Einer schöpferischen Objektivierung ist der Spätrationalist nicht fähig gewesen. Wo Selbstveredelung der Traum war, wurde Selbstzerklärung die Fratze. Was herauskam, war der Gebildete, das ist: das gebrechlichste aller Wesen. Stil erscheint dann wie ein Ausweis eigentlicher Bildung. Die Festigkeit, die Vollendung Lichtenbergs und Forsters und Sturz' liegt in ihrem Stil. Der Mensch blieb weit dahinter zurück: in einem unaufgeräumten Gemach und Ungemach. Die Biographie Lichtenbergs heißt nebenbei den Lebenslauf des späten Rationalismus schreiben. Seine Anthropologie hat Lichtenberg in Worte gefaßt: *Der Mensch als Naturprodukt; als Produkt seines Geschlechts (der Gesellschaft); das Produkt seiner selbst, der gebildete, gesittete, wissende Mensch.*

Nach der Richtung ihres Geistes sollte man Epochen wägen, nicht nach dem, was sie erreichten. Da man eher von den Grenzen jener Zeit zu sprechen pflegt, schien es angebracht, einmal auch von ihrer Größe zu reden.

1742	1. Juli: Georg Christoph Lichtenberg wird als siebzehntes Kind des Pfarrers Johann Conrad Lichtenberg und seiner Frau Henrike Catharine, geb. Eckhard, in Oberramstadt bei Darmstadt geboren.
1745	Die Familie zieht nach Darmstadt, wohin der Vater als Erster Stadtprediger und Definitor berufen wurde.
1749	Des Vaters Ernennung zum Superintendenten.
1751	17. Juli: Tod des Vaters im Alter von 62 Jahren.
1752—1761	Besuch des Darmstädter Pädagogiums unter Johann Martin Wenck.
1759	31. August: Margarethe Kellner, Lichtenbergs spätere Gattin, geboren.
1763	21. Mai: Einschreibung an der Georgia-Augusta-Universität in Göttingen.
1763—1767	Studium der Mathematik, Astronomie, Naturgeschichte.
1764	11. Juni: Tod der Mutter. Beginn der Sudelbuchführung. Bis 1771 *Aphorismenheft A*.
1765	26. Juni: Maria Dorothea Stechard geboren.
1765—1766	Vorlesung von drei Abhandlungen in Gatterers Historischem Institut, darunter *Von den Charakteren in der Geschichte*. Von 1765—1771 das *Füllhornbuch* (KA).
1766	4. August: Im «Hannöverschen Magazin» erscheint die erste gedruckte Arbeit *Von dem Nutzen, den die Mathematik einem Bel Esprit bringen kann*.
1767	17. August: Vorläufige Ernennung zum zweiten Professor der Mathematik und öffentlichen Lehrer der englischen Sprache an der Universität Gießen.
1767—1770	Präzeptor englischer Studenten in Göttingen.
1768—1771	*Aphorismenheft B*.
1769	Freundschaft mit Dieterich bahnt sich an. *Schreiben an einen Freund. Charakter einer mir bekannten Person. Dienbare Betrachtungen für junge Gelehrte in Deutschland*.
1770	25. März: Aufbruch von Göttingen über Holland zur ersten Englandreise, von der er Mitte Mai zurückkehrt. 31. Mai: Zum a. o. Professor für Philosophie in Göttingen ernannt. Antrittsvorlesung: *Betrachtungen über einige Methoden, eine gewisse Schwierigkeit in der Berechnung der Wahrscheinlichkeit beym Spiel zu heben*.
1771	28. Juni: Gleim bei Lichtenberg. In den Hundstagen die «Komet»-Affäre (Marie Sachs).
1772	Bekanntschaft mit Herder in Bückeburg, mit Möser in Osnabrück.
1772—1773	Reisen zur astronomischen Ortsbestimmung von Hannover Osnabrück, Stade im Auftrag des englischen Königs. Vor September 1772 — August 1773 *Aphorismenheft C*.
1773	Anfang Februar Rückkehr aus Osnabrück. *Patriotischer Beitrag zur Methyologie der Deutschen, nebst einer Vorrede über das methyologische Studium überhaupt*. Der 1771 geschriebene *Timorus* in Königsberg gedruckt. Aufenthalt in Stade. Bekanntschaft mit Sturz. Seereise nach Helgoland. Zu Besuch in Hamburg. Treffen mit Klopstock. Lichtenberg erhält den wissenschaftlichen Nachlaß Tobias Mayers zur Edition. An

	24. November wieder in Göttingen. Vom August des Jahres bis Mai 1775 *Aphorismenbuch D.*
1774	15. April: Ernennung zum a. o. Mitglied der Göttinger Sozietät der Wissenschaften. Am 29. August bricht er zur zweiten Englandreise auf. *Tobiae Mayeri Opera inedita, vol. I. Parakletor oder Trostgründe für die Unglücklichen, die keine Originalgenies sind.*
1774—1775	Aufenthalt und Reisen in England.
1775	30. Juni: Nachricht von der Ernennung zum ordentlichen Professor. Am 31. Dezember in Göttingen für immer. *Reisetagebuch* (RA). Vom Juli des Jahres bis April 1776 *Aphorismenheft E.*
1776	*Briefe aus England.* Beginn der Freundschaft mit Blumenbach. Anfang Dezember Ernennung zum ordentlichen Mitglied der Sozietät der Wissenschaften, vor der er am 4. Dezember über seine *Observationes astronomicae per annum 1772 et 1773 ad situm Hannoverae, Osnabrugi et Stadae determinandum institutae* liest. Von April des Jahres bis Januar 1779 *Aphorismenheft F.*
1777	Entdeckung der sogenannten Lichtenbergschen Figuren. Begegnung mit dem Blumenmädchen Maria Dorothea Stechard. *Anschlagzettel im Namen von Philadelphia. Zwei Briefe über die Macht der Liebe.* Am 8. März besucht ihn Lessing. *Über Physiognomik wider die Physiognomen;* Zweite Auflage im Februar 1778. *De nova Methodo, commentatio prior.*
1777—1799	Herausgeber des «Göttingischen Taschenkalenders» als Nachfolger Erxlebens †.
1778	21. Februar: Erste Sozietätssitzung über die elektrischen Figuren. *Briefe aus England.* In den Pfingstferien nach Hamburg, Wandsbek; Schiffsreise nach Helgoland. Im Dezember zum Magister ehrenhalber kreiert. Am 19. Dezember zweite Sozietätssitzung über die Figuren. *De nova Methodo, commentatio posterior.* Georg Forster bei Lichtenberg.
1778—1783	Kalender-Erklärungen von Kupfern Chodowieckis.
1779	*Von ein paar alten Dramen.* Am 15. Juli Merck bei Lichtenberg.
1780	*Vorschlag zu einem Orbis Pictus für deutsche dramatische Schriftsteller, Romandichter und Schauspieler.* Lichtenberg errichtet den ersten Blitzableiter in Göttingen. *Nachricht von dem ersten Blitzableiter in Göttingen nebst einigen Betrachtungen dabei.*
1780—1785	Mit Georg Forster Herausgeber des «Göttingischen Magazins der Wissenschaften und Litteratur».
1781	19. März: Herzog Karl August von Weimar in Begleitung Mercks bei Lichtenberg. Im Juli Garve bei Lichtenberg. *Über die Pronuntiation der Schöpse des alten Griechenlands, verglichen mit der Pronuntiation ihrer neueren Brüder an der Elbe.*
1782	2. Januar: Ernennung zum Mitglied der Naturforschenden Gesellschaft in Danzig. Am 3. August stirbt die kleine Stechardin. *Kurze Geschichte einiger der merkwürdigsten Luftarten. Über Herrn Vossens Verteidigung gegen mich im März (Lenzmonat) des deutschen Museums 1782.*
1783	27. September: Goethe bei Lichtenberg. Margarethe Kellner

tritt vermutlich in den Dienst Lichtenbergs. Sonderkolleg *Über die Lehre von den mancherlei Gattungen der Luft.* Im Oktober für vierzehn Tage einlogierter Besuch Forsters und Sömmerings. *Fragment von Schwänzen,* geschrieben 1778, gedruckt. Von diesem Jahr an, dem Taschenkalender für 1784, Hogarth-Erläuterungen mit Zeichnungen der vorzüglichsten Köpfe.

1783–1784	Ballonversuche.
1784	Im Herbst zieht Bürger nach Göttingen in Dieterichs Haus zu Lichtenberg. Überarbeitete Herausgabe der dritten Auflage von J. C. P. Erxlebens «Anfangsgründe der Naturlehre». Im Oktober Besuch Voltas bei Lichtenberg. *Vermischte Gedanken über die aerostatischen Maschinen.*
1785	Endgültiges Scheitern der Pläne zu einer Italienischen Reise.
1786	4. Februar: Geburt des Sohnes Georg Christoph (gest. 1845) mit Margarethe Kellner. Im Juni Lavaters Besuch bei Lichtenberg. Herschel, in Göttingen zum Mitglied der Sozietät ernannt, besucht Lichtenberg. Am 10. Juli Immatrikulation der englischen Prinzen Ernst, August und Adolph, die bei Dieterich wohnen, von Lichtenberg unterrichtet werden und am 10. Januar 1791 Göttingen verlassen. Am 6. August Ernennung zum Ordinarius.
1788	5. September: Ernennung zum Hofrat.
1789	Von Januar des Jahres bis zum April 1793: *Aphorismenheft J.* Am 24. Juni: Geburt der Tochter Luise Wilhelmine (gest. 1819). Am 5. Oktober: Ausbruch der Krankheit und Eheschließung mit Margarethe Kellner (gest. 1848). Ankauf der physikalischen Sammlung Lichtenbergs durch die Regierung.
1790	Anfang Mai Wiederaufnahme der Vorlesungen. *Amintors Morgenandacht. Über einige wichtige Pflichten gegen die Augen.*
1791	22. Oktober: Geburt des Sohnes Christian Wilhelm (gest. 1860). Krisis des Skeptizismus.
1792	*Warum hat Deutschland noch kein großes öffentliches Seebad?*
1793	Am 1. März: Geburt der Tochter Agnes Wilhelmine (gest. 1820). *Ein Traum.* Am 11. April Wahl zum Mitglied der Königlichen Sozietät der Wissenschaften in London. Vom Mai des Jahres bis September 1796 *Aphorismenheft K.* Beginn der Korrespondenz mit Goethe. Im Dezember Beginn der Liaison mit Doly.
1794	Im Mai: Vorrede zur 1. Lieferung der *Ausführlichen Erklärung der Hogarthischen Kupferstiche* («Komödiantinnen», «Punschgesellschaft», «Vier Tageszeiten»). Bis 1799 erschienen 5 Lieferungen. Errichtung eines Blitzableiters auf seinem Gartenhaus vor der Stadt. *Über Gewitterfurcht und Blitzableitung.* Zur Mitarbeit an den «Horen» aufgefordert. *Ein Wort über das Alter der Guillotine.*
1795	13. Januar: Ablehnung einer Berufung an die Universität Leyden. Aufnahme in die Akademie der Wissenschaften in Petersburg. Am 13. Juni: Geburt der Tochter Auguste Friederike (gest. 1837). *Verteidigung des Hygrometers und der Delucschen Theorie vom Regen. Nicolaus Copernicus,* erschienen 1800 im «Pantheon der Deutschen». *Das Luftbad.*

1796	19. Oktober — Februar 1799: *Aphorismenheft L.*
1797	23. Juli: Geburt des Sohnes August Heinrich, genannt Henri (gest. 1839).
1798	*Daß du auf dem Blocksberge wärst.*
1799	24. Februar: Tod Lichtenbergs.

ZEUGNISSE

Friedrich von Matthisson

Ich wüßte in der That, nach Lessing, keinen Deutschen mehr, der tiefe und gründlichere Kenntnisse (wiewohl in ganz verschiedenen Fächern) mit schärferem Witz und reinerem Geschmack vereinigte als Lichtenberg.

1802

August von Platen

Ein vorurteilsfreier Verstand, Witz, Laune, Satire ohne Gift, der feinste Beobachtungsgeist und ein leichter, durchaus angenehmer Stil geben diesen Büchern einen hohen Wert. Alles wird anziehend unter Lichtenbergs Feder. Wollte Gott, er lebte noch, um die Mystiker und Romantiker unter seine Geißel zu nehmen.

1816

Johann Wolfgang von Goethe

Lichtenbergs Schriften können wir uns als der wunderbarsten Wünschelrute bedienen; wo er einen Spaß macht, liegt ein Problem verborgen.

1829

Sören Kierkegaard

Dank, Lichtenberg, Dank! weil du sagst: daß es nichts Kraftloseres gibt, als mit einem Literaten der Wissenschaft zu reden, der selber nicht gedacht hat, aber tausend literarhistorische Umstände weiß. «Es ist fast wie die Vorlesung aus einem Kochbuch, wenn man Hunger hat.» O Dank für diese Stimme in der Wüste, Dank für diese Labung. Wie der Schrei eines wilden Vogels in der Stille der Nacht die ganze Phantasie in Bewegung setzt, stelle ich mir vor, daß es nach einem lang andauernden Geschwätz mit einem solchen gelehrten Umgangssüchtigen war, der ihn vielleicht eines glückseligen Augenblicks beraubte.

1837

Friedrich Hebbel

Ich habe in der letzten Zeit viel von Jean Paul gelesen und einiges von Lichtenberg. Welch ein herrlicher Kopf ist der letztere! Ich will lieber mit Lichtenberg vergessen werden als unsterblich sein mit Jean Paul.

1846

Arthur Schopenhauer

Man kann die Denker einteilen in solche, die zunächst für sich, und solche, die sogleich für andere denken. Jene sind die echten, sind die Selbstdenker, im zwiefachen Sinne des Wortes, sie sind die eigentlichen Philosophen. Denn ihnen allein ist es Ernst mit der Sache. Auch besteht der Genuß und das Glück ihres Daseins eben im Denken. Die anderen sind die Sophisten, sie wollen scheinen und suchen ihr Glück in dem, was sie dadurch von anderen zu erlangen hoffen, hierin liegt ihr Ernst. Lichtenberg ist ein Muster der ersten Art.

1851

Friedrich Nietzsche

Wenn man von Goethes Schriften absieht und namentlich von Goethes Unterhaltungen mit Eckermann, dem besten deutschen Buche, das es gibt: was bleibt eigentlich von der deutschen Prosa-Literatur übrig, das es verdiente, wieder und wieder gelesen zu werden? Lichtenbergs Aphorismen, das erste Buch von Jung-Stillings Lebensgeschichte, Adalbert Stifters Nachsommer und Gottfried Kellers Leute von Seldwyla, — und damit wird es einstweilen am Ende sein.

1879

Kurt Tucholsky

Aber wer Lichtenberg ist, das weiß ich.

Morgenstern plus Hebbels Tagebüchern plus französischer Klarheit plus englischer Groteske plus deutschem Herzen — das soll man sich noch einmal suchen.

Wer die Gewohnheit hat, in Büchern etwas anzustreichen, der wird seine Freude haben, wie sein Lichtenberg nach der Lektüre aussieht. Das beste ist: er macht gleich einen einzigen dicken Strich, denn mit Ausnahme der physikalischen und lokalen Eintragungen ist das alles springlebendig wie am ersten Tag...

Von dem, was in diesen «Sudelbüchern», wie er das genannt hat, an Witz heute verschüttet liegt, leben andere Leute ihr ganzes Leben.

Nein, die Welt ändert sich nicht, und dies ist ein sehr aktueller Schriftsteller; er ist niemals etwas anderes gewesen. Die Leute zitieren immer seine Beschreibungen zu Hogarths Bildern, die recht gut sind, und seine Schilderung des Garrickschen Hamlets, die besser ist — aber das Wesentliche dieses einzigartigen Geistes liegt in seinen Aphorismen. Und in seinen Briefen. Der Brief zum Beispiel, den er geschrieben, als ihm sein kleines Blumenmädchen, mit dem er zusammen lebte, starb, reicht an jenen Lessings heran, den er nach dem Tode seiner Frau schrieb. Lichtenberg hatte ein heißes Herz und einen kalten Verstand.

1931

BIBLIOGRAPHIE

Die vorliegende Bibliographie verzeichnet mit wenigen Ausnahmen lediglich das Schrifttum, das sich ausschließlich mit Lichtenberg beschäftigt. Für Werke, die unter anderem Lichtenberg erwähnen, muß auf die Bibliographien in den Arbeiten von Stern und Schneider verwiesen werden. Die Bibliographie verzeichnet mit geringen Ausnahmen nicht die zahllosen Auswahlausgaben begrenzten Umfangs: geben sie ja nur Auszüge aus Werken, die ihrerseits nur unvollständige Ausgaben sind.

1. Werkausgaben

Auserlesene Schriften. Herausgegeben von CHRISTIAN SIEGMUND KRAUSE mit 24 Kupfern nach Chodowiecki. Bayreuth (Johann Andreas Lübecks Erben) 1800 [Dieselbe Ausgabe ohne Kupfer erschien in Leipzig.]

Vermischte Schriften. Herausgegeben von LUDWIG CHRISTIAN LICHTENBERG und FRIEDRICH KRIES. 9 Bde. [Die Bde. 6—9 enthalten die physikalischen und mathematischen Schriften.] Göttingen (Dieterich) 1800—1806
    rez: HEYNE in: Göttinger Anzeigen von gelehrten Sachen, 137. und 138. Stück, 28. August 1800
    SCHLEIERMACHER in: Erlanger Litteratur-Zeitung Nr. 206, 1801 Bd. II

Witzige und launige Schriften. Herausgegeben von J. SCHWINGHAMMER. 5 Bde. Wien 1810

Spiele des Witzes und der Laune, aus Lichtenbergs Schriften gezogen. Pest 1816

Ideen, Maximen und Einfälle von Lichtenberg nebst dessen Charakteristik. Herausgegeben von GUSTAV JÖRDENS. 2 Tle. Leipzig 1827—1830

Vermischte Schriften. Nachdruck der Erstausgabe. Wien (Rudolf Sammer) 1837. Tle. 1—5

Vermischte Schriften. Neue vermehrte, von den Söhnen veranstaltete Originalausgabe. Bd. 1—14. Göttingen (Dieterich) 1844—1853

Vermischte Schriften. [Nachdruck der vorhergehenden Ausgabe nur ohne die Briefe.] 9 Bde. Wien (Ignaz Klein) 1844

Vermischte Schriften. Neue Originalausgabe Bd. 1—8. Göttingen 1867

Gedanken und Maximen. Lichtstrahlen aus seinen Werken. Mit einer biographischen Einleitung von EDUARD GRISEBACH. Leipzig 1871

Gesammelte Werke. Herausgegeben von WILHELM GRENZMANN. 2 Bde. und Hogarth-Ergänzungsband. Frankfurt a. M. (Holle) 1949
    rez: ALBERT SCHNEIDER in: Études Germaniques IV, 1950

2. Einzelausgaben und Manuskripte

Hogarths Werke mit verkleinerten aber vollständigen Kopien von E. RIEPENHAUSEN und Erklärungen von GEORG CHRISTOPH LICHTENBERG. 5 Lieferungen. Göttingen 1794—1799
    rez: Bibliothek der schönen Wissenschaften 63. Stück, 1798
    A. W. SCHLEGEL: Athenäum, 2. Bd. 2. Stück, Berlin 1799

FOCKE, RUDOLF: Chodowiecki und Lichtenberg. Daniel Chodowieckis Monatskupfer zum Gött. Taschenkalender 1778—83 nebst Lichtenbergs Erklärungen. Mit einer kunst- und literargeschichtlichen Einleitung. Göttingen 1901

GAMAUF, GOTTLIEB: Lichtenbergs Vorlesungen über Erxlebens Anfangsgründe der Naturlehre. 3 Bde. Wien und Triest 1808—1811

GAMAUF, GOTTLIEB: Erinnerungen aus Lichtenbergs Vorlesungen über Astronomie. Wien und Triest 1814

GAMAUF, GOTTLIEB: Erinnerungen aus Lichtenbergs Vorlesungen über die physikalische Geographie. Wien und Triest 1818

GRISEBACH, EDUARD: Gesammelte Studien. Die deutsche Literatur seit 1770. Stuttgart 1877 [Enthält Reste eines verlorengegangenen Aphorismenheftes.]

Aus Lichtenbergs Nachlaß. Aufsätze, Gedichte, Tagebuchblätter, Briefe. Herausgegeben von ALBERT LEITZMANN. Weimar 1899
rez: ARTHUR CHUQUET in: Revue critique Nr. 44, 1899

Georg Christoph Lichtenbergs Aphorismen. Nach den Handschriften herausgegeben von ALBERT LEITZMANN. 5 Hefte. Berlin 1902—1908 in: Literaturdenkmale Nr. 123, 131, 136, 140, 141
rez: LAUCHERT in: Euphorion XVII, 1910

LEITZMANN, ALBERT: Notizen über die englische Bühne aus Lichtenbergs Tagebüchern. In: Shakespeare-Jahrbuch 42, 1906

EBSTEIN, ERICH: Aus den ungedruckten Tagebüchern Lichtenbergs. In: Süddeutsche Monatshefte Jg. 9, 1911—1912

EBSTEIN, ERICH: G. C. Lichtenberg als Naturforscher. In: Archiv für die Geschichte der Naturwissenschaften und der Technik, Bd. 4, 1912 [Wiedergabe eines Merkheftes.]

MAGIN, E.-P.-H.: Über G. Chr. Lichtenberg und seine noch unveröffentlichten Handschriften. Beilage zum Jahresbericht über das Schuljahr 1912—13 der Oberrealschule in St. Georg zu Hamburg. Hamburg 1913

LEITZMANN, ALBERT: Aus Lichtenbergs Tagebüchern. In: Zeitschrift für deutsche Philologie 67, 1942

Verschiedene Arten von Gemüthsfarben. Fragment, herausgegeben von PAUL REQUADT in: Lichtenberg. Hameln 1948

MAUTNER, FRANZ HEINRICH: Lichtenbergs ungedruckte Tagebücher. In: Euphorion LI, 1957

LEITZMANN, ALBERT: Ungedruckte Verse Lichtenbergs. In: Zeitschrift für Bücherfreunde NF 13, H. 6, 1921

Timorus. Herausgegeben von HERMANN MEYER. Mit einem Nachwort von MARTIN DOMKE. Berlin, 5. Dezember 1926

Die Bibliogenie oder die Entstehung der Bücherwelt. Eingeleitet und bearbeitet von ERNST VOLKMANN. Weimar 1942

Kopernikus. Herausgegeben von GÖTZ VON SELLE. Königsberg 1943

Georg Christoph Lichtenberg. Über eine neue Methode, die Natur und die Bewegung der elektrischen Materie zu erforschen. Herausgegeben in neuer deutscher Übersetzung von HERBERT PUPKE. Schlußredaktion von RUDOLPH ZAUNICK. In: Ostwalds Klassiker der exakten Wissenschaften 246, Leipzig 1956

3. Lebenszeugnisse

a. Briefe von Lichtenberg

Briefwechsel zwischen Goethe und Lichtenberg. Herausgegeben von ALBERT LEITZMANN. In: Goethe-Jahrbuch 18, 1897

Briefe Lichtenbergs an Dieterich. Herausgegeben von EDUARD GRISEBACH. Leipzig 1898

Briefe. Herausgegeben von ALBERT LEITZMANN und CARL SCHÜDDEKOPF. 3 Bde. Leipzig 1901—1904 rez: OTTO JULIUS BIERBAUM: Bemerkungen zu alten Briefen. In: Kölnische Zeitung, Nr. 424, 23. April 1905

    PAUL ERNST: Achtzehntes Jahrhundert in Deutschland. In: Der Tag, 10. November 1909

Sechs Briefe. Herausgegeben von LUDWIG SAENG. Privatdruck. Darmstadt 1905

Aus Lichtenbergs Correspondenz. Herausgegeben von ERICH EBSTEIN. Stuttgart (Enke) 1906 [60 Inedita.]

Lichtenbergs Mädchen. 12 ungedruckte Briefe. Herausgegeben von ERICH EBSTEIN. München 1907

Neue Briefe Lichtenbergs. Herausgegeben von ERICH EBSTEIN. Süddeutsche Monatshefte Jg. V, Bd. 2, 1908

Zu Lichtenbergs Briefen. 1 Brief an Boie vom Mai 1773. Herausgegeben von ALBERT LEITZMANN. Euphorion XV, 1908

Göttinger Nachlese. Vierzehn Lichtenberg-Briefe. Herausgegeben von OTTO DENEKE. Göttingen 1911

Neues von Lichtenberg. Briefe an Schernhagen. Herausgegeben von ALBERT LEITZMANN. Zeitschrift für Bücherfreunde NF IV, 1912

Ein unbekannter Brief Lichtenbergs (an den schlesischen Grafen von Sternberg 1787). Herausgegeben von WILHELM EDUARD GIERKE. Zeitschrift für Bücherfreunde NF VI, 1914

Briefwechsel Chodowieckis mit seinen Zeitgenossen. Herausgegeben von CHARLOTTE STEINBRUCKER. Berlin 1919 [Der erste Band enthält 6 unbekannte Briefe Lichtenbergs.]

Zwei Briefe Lichtenbergs aus England. Herausgegeben von ALBERT LEITZMANN. Zeitschrift für Bücherfreunde NF XIII, 1921

Lichtenbergs Briefe an J. F. Blumenbach. Herausgegeben und erläutert von ALBERT LEITZMANN. Leipzig 1921 [Enthält 3 Briefe Sömmerings an Lichtenberg.]

Fünf ungedruckte Briefe Lichtenbergs. Herausgegeben von MARTIN DOMKE. Privatdruck. Berlin 1925

Briefe an Cotta. Das Zeitalter Goethes und Napoleons (1794–1815). Herausgegeben von MARIA FEHLING. Stuttgart und Berlin 1925 [Enthält 3 Briefe Lichtenbergs.]

    rez: V. MICHELS, Literarische Wochenschrift 1925

Der handschriftliche Nachlaß des westphälischen Dichters und Gelehrten Sprickmann. Herausgegeben von HEINZ JANSEN. Zeitschrift für Bücherfreunde NF XXI, 1929 [Enthält mehrere Briefe Lichtenbergs.]

Lichtenberg. Über den Tod seines Mädchens. Herausgegeben von MARTIN DOMKE. Wien 1929

Lichtenberg und Chodowiecki. Ein unbekannter Brief Lichtenbergs an den Künstler. Zeitschrift für Bücherfreunde NF XXII, 1930

G. C. Lichtenberg. Mit einem unbekannten Brief aus dem Jahre 1787 (an Strieder). Herausgegeben von H. BRÄUNING-OKTAVIO. Hessische Chronik, Jg. 24, 1937

Die kleine Stechardin. Zwei unveröffentlichte Briefe G. C. Lichtenbergs. Herausgegeben von PAUL REQUADT. Blätter der Frankfurter Zeitung, 29. Juni 1942

b. Briefe an Lichtenberg

Kants Briefe. Ausgewählt und herausgegeben von F. OHMANN. Leipzig 1911

Aus Karolinens Lebenskreisen. Dokumente und Briefe. Herausgegeben von

ALBERT LEITZMANN. [Drei Briefe Georg Tatters an Lichtenberg.] Zeitschrift für Bücherfreunde NF V, 1913

Briefe aus Lichtenbergs englischem Freundschaftskreis. 38 Briefe. Herausgegeben von HANS HECHT. Vorarbeiten zur Geschichte der Gött. Universität und Bibliothek, Heft 2, 1925

    rez: WALTER A. BERENDSOHN, Euphorion 29, 1928

Ein Leben. Goethes Leben und Wirken in Urkunden. Herausgegeben von E. ZENKER. Leipzig 1917 [Enthält einen ungedruckten Brief Goethes an Lichtenberg.]

Briefe Alexander von Humboldts aus seiner Frühzeit an Lichtenberg. Herausgegeben von RUDOLF ZAUNICK. Sudhoffs Archiv für Geschichte der Medizin und der Naturwissenschaften, Bd. 32, 1940

4. Übersetzungen

DOMKE, MARTIN: Lichtenberg in fremden Sprachen. In: Zeitschrift für Bücherfreunde X/XI, 1933

THIELE, GUILHELMO: Aphorismen von G. C. Lichtenberg. Deutsch-spanische Auswahl. Herausgegeben vom Germanistischen Institut. Buenos Aires 1942

BRETON, ANDRÉ: Lichtenberg-Auswahl. In: Anthologie de l'humour noir. Paris 1945

Aphorismes de Lichtenberg. Trad. MARTHE ROBERT in: L'Arche. Revue mensuelle Nr. 22, Dez. 1946

Aphorismes de Lichtenberg. Avec une préface d'André Breton. Trad. MARTHE ROBERT. Paris 1947

The Lichtenberg Reader. Selected Writings. Herausgegeben von FRANZ HEINRICH MAUTNER und HENRY HATFIELD. Boston 1959

    rez: E. L. JORDAN in: The Germanic Review Vol. 35, Nr. 3, 1960

        ALBERT SCHNEIDER in: Études Germaniques année 15, Nr. 4, 1960

        WAYNE WONDERLEY in: Monatshefte Vol. 52, Nr. 7, 1960

5. Gesamtdarstellungen und Würdigungen

BOUILLIER, VICTOR: G. C. Lichtenberg. Essai sur sa vie et ses œuvres littéraires, suivi d'un choix de ses aphorismes. Paris 1914

GRENZMANN, WILHELM: G. C. Lichtenberg. Salzburg und Leipzig 1939

    rez: UNGER in: Göttinger gelehrte Anzeigen Jg. 202, 1940

DENEKE, OTTO: Lichtenbergs Leben I (1742—1775). München 1944

    rez: ALBERT SCHNEIDER in: Langues Modernes, Paris 1952

REQUADT, PAUL: Lichtenberg. Zum Problem der deutschen Aphoristik. Hameln 1948

    rez: ALBERT SCHNEIDER in: Langues Modernes, Paris 1951

        FRANZ HEINRICH MAUTNER in: Germanic Review 26, 1951

        WILHELM GRENZMANN in: Anzeiger 65, 1951—1952

SCHNEIDER, ALBERT: Lichtenberg. Précurseur du romantisme. Nancy 1954 Lichtenberg Penseur, Paris 1954

    rez: TH. C. VAN STOCKUM: Höhepunkt der Lichtenberg-Renaissance. In: Neophilologus XXXX, 1956

        FRANZ HEINRICH MAUTNER in: Journal of English and Germanic Philology 55, 1956

        R. PASCAL in: German Life and Letters NS 9, 1955—56

H. W. Reichert in: Modern Language Notes 71, 1956
Heinrich Küntzel in: Orbis litterarum, 1960
Brinitzer, Carl: Lichtenberg. Die Geschichte eines gescheiten Mannes. Tübingen 1956
A reasonable rebel: Georg Christoph Lichtenberg. Transl. by Bernard Smith. London 1960
Stern, Joseph Peter: Lichtenberg. A doctrine of scattered occasions. Bloomington 1959. Reconstructed from his aphorisms and reflections

Meusel, Joh. Georg: Das gelehrte Teutschland VIII, 233. Lemgo 1783, 1803
Kästner, Abraham Gotthelf: Elogium G. C. Lichtenbergii, in concessu Societatis reg. Scientiarum recitatum die 20 April 1799 [= Commentationes huius Societatis 1800. Bd. 14.] Wiederabdruck in deutscher Übersetzung: Neues Hannöversches Magazin, 78. St. Sept. 1799
Scherer, Alexander Nikolaus: Allgemeines Journal der Chemie III 609, Nov. 1799, Heft 17
Blumhof, Johann Georg Ludolf: Einige Blumen auf Lichtenbergs Grab. In: Neues Hannöversches Magazin, 40. St. Mai 1799
Girtanner, Christoph: Lichtenberg, der Unvergeßliche. Blumen und Tränen auf sein Grab. In: Gött. Taschenkalender für 1800
Salzmann, Christian Gotthilf: Denkwürdigkeiten aus dem Leben ausgezeichneter Teutscher des 18. Jahrhunderts. [Lichtenberg p. 216—220.] Schnepfenthal 1802
Falk, Johann Daniel: Kleine Abhandlungen, die Poesie und Kunst betreffend. Weimar 1803
Schlichtegroll, Friedrich: Nekrolog auf das Jahr 1799. Bd. 2. Gotha 1805
Baur, Samuel: Gallerie historischer Gemählde aus dem 18. Jahrhundert. Tl. VI, 238—264. Hof 1806
Meusel, Johann Georg: Lexikon der vom Jahre 1750—1800 verstorbenen teutschen Schriftsteller. Bd. VIII. Leipzig 1808
Joerdens, K. H.: Lexikon deutscher Dichter und Prosaisten III. Leipzig 1808
Gervinus, Johann Gottfried: Geschichte der poetischen Nationalliteratur der Deutschen Bd. V. 1835—1842
Döring, H.: Lebensumrisse. [Falk, Lichtenberg, Matthisson.] Quedlinburg und Leipzig 1840
Wolff, O. L. B.: Enzyklopädie der deutschen Nationalliteratur oder biographisch-kritisches Lexikon Bd. V. Leipzig 1840
Koch, Max: Lichtenberg. In: Ersch und Grubers Allgemeine Encyclopädie der Wissenschaften und Künste XLIII, Leipzig 1853
Dollfus, Charles: Georges-Christophe Lichtenberg. In: Revue de Paris, 6. Jg., 1857
Grisebach, Eduard: Gesammelte Aufsätze. Die deutsche Literatur seit 1770. Wien 1876
Hess, W.: Lichtenberg. In: Allgemeine deutsche Biographie XVIII. Leipzig 1883
Gleichen-Russwurm, Alexander von: Zur Einführung in Lichtenberg. Jena 1907
Berger, Alfred von: Reden und Aufsätze. 1913
Rothert, Wilhelm: G. C. Lichtenberg. In: Allgemeine hannoversche Biographie III, 1916
Bertram, Ernst: Lichtenberg. Stifter. [Probevorlesungen.] Bonn 1919
Würtz: Sieghafte Lebenskämpfer. 1919
Berendsohn, Walter A.: Kleine Lichtenberg-Studien. In: Euphorion XXIV, 1922

GUNTHER, A. E.: Lichtenberg. In: Deutsches Volkstum. Hamburg 1925

STEMPLINGER, EDUARD: Der Göttinger Impressionist G. C. Lichtenberg. In: Sonderlinge. Zwölf Charakterbilder. München 1927

FUSS, KARL: G. C. Lichtenberg. In: Der Scheinwerfer. Blätter der Städtischen Bühnen Essen, H. III, 1928

WIEGLER, PAUL: G. C. Lichtenberg. In: Der Querschnitt IX, H. 5, 1929 und X, 1931

DOMKE, MARTIN: Stimmen über Lichtenberg. Privatdruck 1930

TUCHOLSKY, KURT: Schrei nach Lichtenberg. In: Vossische Zeitung, 25. Januar 1931 — Wiederabdruck in: Gesammelte Werke Bd. III. Reinbek 1961. S. 770—772

TUCHOLSKY, KURT: Lichtenberg. In: Die Weltbühne Jg. 26, 1932 — Wiederabdruck in: Gesammelte Werke Bd. III. Reinbek 1961. S. 1080—1082

OSSIETZKY, CARL VON: Lichtenberg. [1932.] In: Die Weltbühne, Berlin 1947

ROCH, R.: G. C. Lichtenberg. In: Deutsches Volkstum, Jg. 18, 1936

FISCHER, H. W.: G. C. Lichtenberg. In: Kleine Kostbarkeiten aus dem Schatz deutscher Literatur. Beilage zur Lesestunde, Zeitschrift der deutschen Buchgemeinschaft, Folge 1, Berlin 1936

WIESE, BENNO VON: Lichtenberg. In: Deutsche Männer, 200 Bildnisse und Lebensbeschreibungen. Berlin 1939

FRANCKEN, C. J. WIGNAENDS: G. C. Lichtenberg. In: Erasmus VII, 1939

GRAEBKE, FRIEDRICH: Ironie und tiefere Bedeutung. Zu Lichtenbergs 200. Geburtstag. In: Pariser Zeitung, Nr. 178, 1. Juli 1942

ERNST, PAUL: Lichtenberg. In: Völker und Zeiten im Spiegel der Dichtung. München 1942

REQUADT, PAUL: Der Moralist des Alltags. In: Frankfurter Zeitung Nr. 329 —330, 1942

MILCH, W. J.: G. C. Lichtenberg. In: Modern Language Review XXXVII, 1942

MICHEL, WILHELM: Lichtenberg der Vorläufer. In: Kölnische Zeitung Nr. 328 ff, 1942

HAHN, PAUL: Die 200. Wiederkehr des Geburtstages von G. C. Lichtenberg. In: Elektrotechnische Zeitschrift 63, 1942

BENSE, MAX: Gedanken über G. C. Lichtenberg. In: Europäische Revue XVIII, 1942

LAURUP-FOGT, JOHANNES: Lichtenberg. In: Orbis litterarum, 1945

SCHÖFFLER, HERBERT: Lichtenberg. Göttingen 1944

SCHIRMER, J.: G. C. Lichtenberg. In: Der Zwiebelfisch, H. 4, Jg. 25, 1948

ZIEGENFUSS, WERNER: G. C. Lichtenberg. In: Philosophen-Lexikon: Handwörterbuch der Philosophie nach Personen. Bd. II. Berlin 1949—1950

RYCHNER, MAX: Lichtenberg. In: Welt und Wort, 1949

HILLER, KURT: G. C. Lichtenberg. Ein ‹jüdischer Arier›. In: Köpfe und Tröpfe, Profile aus einem Vierteljahrhundert. Hamburg 1950

SCHNEIDER, ALBERT: G. C. Lichtenberg. In: Die Schule, 1951

HERING, G. F.: Lichtenberg. In: Neue literarische Welt III, Nr. 18, 1952

LEHMANN, W.: Lichtenberg. In: Merian VI, H. 1, 1953

MILCH, WERNER: Lichtenberg. In: Texte und Zeichen 1, 1955

SCHÖFFLER, HERBERT: Lichtenberg. Studien zu seinem Wesen und Geist. Herausgegeben von GÖTZ VON SELLE. Göttingen 1956
    rez: JOHANNES LAURUP-FOGT in: Orbis litterarum, 1958

JÜNGER, GEORG FRIEDRICH: Lichtenberg. In: Akzente IV, 1958

MICHEL, WILHELM: Gewalten des Geistes. In: Veröffentlichungen der Deutschen Akademie für Sprache und Dichtung, Bd. 17, 1959

AYRAULT, ROGER: La genèse du romantisme allemand. Paris 1961

6. Untersuchungen

a. Zur Biographie

NEUBAUER, ERNST FRIEDRICH: Nachricht von den itztlebenden evangelischen und reformierten Theologen in und um Deutschland. Züllichau 1743 [Über Lichtenbergs Vater.]

PÜTTER, JOHANN STEPHAN: Versuch einer akademischen Gelehrtengeschichte von der Georg-Augustus-Universität. Göttingen 1765—1788 [Über Lichtenberg § 126, Bd. II.]
‹Georgio Christophero Lichtenberg Philosophiae Professori Dignissimo Artium Magistro Recens creato. Gottingia D. IV. Jan. 79 Aere Theodericiano›.

POPPE, JOHANN HEINRICH: Einige Züge aus Lichtenbergs Leben. In: Morgenblatt Nr. 299, 1812

STRIEDER, FRIEDRICH WILHELM: Grundlage zu einer hessischen Gelehrten- und Schriftstellergeschichte. Marburg 1812; Bd. VIII: Kassel 1788

EBSTEIN, ERICH: Ein Beitrag zu Lichtenbergs Aufenthalt in Göttingen (1770 bis 1799). In: Hannöversche Geschichtsblätter 1900

MEYER, R. M.: Nicht mehr als sechs Schüsseln. In: Euphorion VIII, 1901

POPPE, THEODOR: Göttinger Geschichten aus Lichtenbergs und Kästners Zeiten. In: Die Rundschau Bd. 1, 1901

EBSTEIN, ERICH: Friedrich von Matthissons Aufenthalt in Göttingen im Februar 1794. In: Hannöversche Geschichtsblätter 1903

FRENSDORFF, F.: Die englischen Prinzen in Göttingen. In: Zeitschrift des historischen Vereins für Niedersachsen, 1905

EBSTEIN, ERICH: Lichtenberg bei seinem Verleger Dieterich zu Gaste. In: Zeitschrift für Bücherfreunde, 1907

EBSTEIN, ERICH: Rüttgerodt in seinen Beziehungen zu Goethe, Lavater und Lichtenberg. In: Archiv für Kriminalanthropologie und Kriminalistik, 1910

EBSTEIN, ERICH: Jakob Philadelphia in seinen Beziehungen zu Goethe, Lichtenberg und Schiller. In: Zeitschrift für Bücherfreunde NF III, 1911—1912

DIEHL, WILHELM: Lichtenberg und Lichtenberger. In: Hessische Chronik I, 1912

DIEHL, WILHELM: Aus dem Hausbuch des Amtsverwesers Johann Philipp Lichtenberg. In: Hessische Chronik I, 1912

DIEHL, WILHELM: Kleine Beiträge zur Jugendgeschichte Lichtenbergs. In: Süddeutsche Monatshefte X, 1913

DIEHL, WILHELM: Allerlei Allotria aus dem Leben des Darmstädter Superintendenten Johann Konrad Lichtenberg. In: Alt-Darmstadt. Kulturgeschichtliche Bilder aus Darmstadts Vergangenheit in gesammelten Aufsätzen. Friedberg 1913

EBSTEIN, ERICH: Karl Morgensterns Besuch bei Lichtenberg. In: Archiv für die Geschichte der Naturwissenschaften und Technik, V, 1914

EBSTEIN, ERICH: Miszellen über Lichtenberg und Bürger. [Mit unbekanntem Brief Lichtenbergs an Dieterich.] Zeitschrift für Bücherfreunde NF VI, 1914 [Beilage]

BEREND, EDUARD: Eine Charakteristik Lichtenbergs von Johann Bernhard Hermann im März 1789. In: Zeitschrift für Bücherfreunde NF V, 1914

EBSTEIN, ERICH: Aus G. C. Lichtenbergs Frühzeit. In: Archiv für die Geschichte der Naturwissenschaften und Technik, VII, 1916

EBSTEIN, ERICH: Lichtenberg und E. G. Baldinger. In: Aus dem 18. Jahrhundert. Leipzig 1922

WYCHGRAM, MARIANNE: Lichtenberg und der «Hain». In: Die Spinnstube Nr. 35, 1922

CROME, BRUNO: Ein Besuch bei A. G. Kästner und G. C. Lichtenberg im Jahre 1788. In: Die Spinnstube Nr. 8, 1924

DENEKE, OTTO: Lichtenbergs Begräbnis. In: Die Spinnstube Nr. 9, 1924

DIEHL, WILHELM: Hassia sacra. Bd. 2. Darmstadt 1925

EBSTEIN, ERICH: G. C. Lichtenberg und J. F. Cotta. In: Die Spinnstube Nr. 24, 1925

HAHN, PAUL: Lichtenberg und die exakten Wissenschaften. Materialien zu seiner Biographie. Göttingen 1927

LEITZMANN, ALBERT: Lichtenberg und Strodtmanns Idioticum Osnabrugense. In: Zeitschrift für Bücherfreunde NF XX, 1928

EBSTEIN, ERICH: G. C. Lichtenberg über Göttingen. In: Die Spinnstube Nr. 1, 1929

KRAFT, L.: Johann Konrad Lichtenberg, der Baumeister des ehemaligen Waisenhauses in Darmstadt. In: Volk und Scholle VII, 1929

KROEBER, H.: Silhouetten aus Lichtenbergs Nachlaß von Chodowiecki. Wiesbaden 1920

EBSTEIN, ERICH: Lichtenberg und Chodowiecki. In: Zeitschrift für Bücherfreunde NF XII, 1930

DENEKE, OTTO: Goethe in Göttingen vor 150 Jahren. In: Alt-Göttingen. Blätter zur Geschichte der Universitätsstadt. Nr. 1, Jg. 1 [Beilage zur Göttinger Zeitung, Sept. 1933.]

MAUTNER, FRANZ HEINRICH: Lichtenbergs P. M. In: Dichtung und Volkstum 1936

MARE, MARGARET L., und W. H. QUARRELL: Lichtenberg's visits of England. Oxford und Toronto 1938

FRENZEL, MANFRED: England und die Engländer im Leben und Denken G. C. Lichtenbergs. Diss. Breslau 1939

DENEKE, OTTO: Lichtenbergs Ahnen. München 1950

MAUTNER, FRANZ HEINRICH: Zu Lichtenberg und Archenholtz. In: Modern Language Notes, Nr. 69, 1954
    dazu: R. L. KAHN: A footnote to Caroline's letter of April 4, 1786. ebd. Nr. 70, 1955

KAHN, R. L.: A meeting between Lichtenberg and Franklin?. In: German life and letters, NS 9, 1955/56

SCHÖFFLER, HERBERT: Lichtenberg und die Lehrer. In: Deutscher Geist im 18. Jahrhundert. Göttingen 1956

LARCHER, OTTO: Lichtenberg und England. Diss. Innsbruck 1958

b. Zu den Werken

LAUCHERT, FRIEDRICH: G. C. Lichtenbergs schriftstellerische Thätigkeit in chronologischer Übersicht dargestellt. Mit Nachträgen zu Lichtenbergs Vermischten Schriften und textkritischen Berichtigungen. Göttingen 1893
    rez: F. SEUFFERT in: Euphorion I, 1894

PREISENDANZ, WOLFGANG: Lichtenberg. Forschungsbericht. In: Germanisch-Romanische Monatsschrift 37, NF 6, 1956

BERENDSOHN, WALTER A.: G. C. Lichtenberg. Stil und Form der Aphorismen. Ein Baustein zur Geschichte des deutschen Aphorismus. Kiel 1912

BESSER, KURT: Die Problematik der aphoristischen Form bei Lichtenberg, Schlegel, Novalis und Nietzsche. In: Neue Deutsche Forschungen LII, 1935

SEIDLER, GEORG: Versuch über die Bemerkungen Lichtenbergs. Stuttgart und Berlin 1937

HAHN, PAUL: Der Forscher Lichtenberg und seine Aphorismenbücher. Breslau 1939

HEINTEL, ERICH: G. C. Lichtenberg, ein Meister des Aphorismus. In: Wissenschaft und Weltbild, H. 4, Jg. 2, 1949

STERN, A. P.: An Essay on the problem of the aphorism in the writings of G. C. Lichtenberg. Diss. Cambridge 1949

CROCE, E.: I ‹Frammenti› di Lichtenberg. In: Poeti e scrittori. 1951

TRACHSLER, REINHARD: Lichtenbergs Aphorismen. Ursprünge und Größe wirklicher Freiheit. Diss. Zürich 1953

WUTHENOW, RALPH REINER: Lichtenberg und der Anfang der deutschen Aphoristik. In: Doitsu Bungaku, H. 23, 1959

SCHÜDDEKOPF, CARL: Briefe Lichtenbergs an Meister?. In: Frankfurter Zeitung, 2. Dezember 1905

LEITZMANN, ALBERT: Zu Lichtenbergs Briefen. In: Euphorion XV, 1908

‹Über Lichtenbergs Briefe an Landbaumeister Hollenberg›. In: Zeitschrift für Vaterländische Geschichte und Altertumskunde, Bd. 66, 1908

‹Über den Anschlagzettel im Namen von Philadelphia›. In: Berlinisches Archiv der Zeit, Nr. VIII, Juni 1796

WILBRANDT, ADOLF: Lichtenbergs Fragment von Schwänzen. In: Allgemeine Zeitung, Nr. 81, Beilage Nr. 69, 21. März 1893

MAUTNER, FRANZ HEINRICH: Lichtenbergs Vortrag über die Charaktere in der Geschichte und sein Gesamtwerk. In: Modern Language Notes 55, 1940

LINDEMANN, H.: Die Länder jenseits der Bouteille. In: Deutsche Rundschau 78, 1952

ROSENFELD, HANS-FRIEDRICH: G. C. Lichtenbergs ‹Patriotischer Beytrag zur Methyologie der Deutschen› und die niederdeutsche Methyologie der Gegenwart. Ein Beitrag zur Ausdrucksfähigkeit und Bildkraft der niederdeutschen Sprache. In: Niederdeutsches Jahrbuch des Vereins für niederdeutsche Sprachforschung, Jg. 78, 1955

MAUTNER, FRANZ HEINRICH: ‹Amintors Morgenandacht›. In: Deutsche Vierteljahresschrift 30, 1956 und 32, 1958

‹Lichtenberg und Hogarth›. In: Foreign Quarterly XVI, 1836

MAUTNER, FRANZ HEINRICH: Lichtenberg as an interpreter of Hogarth. In: Modern Language Quarterly 13, Nr. 1, 1952

MAUTNER, FRANZ HEINRICH: Lichtenbergs Kommentare zu Hogarths Kupferstichen. Über Lichtenbergs Stil. In: Stil- und Formprobleme in der deutschen Literatur. Heidelberg 1959

TRONSKAJA, M. L.: Lichtenberg i Hogarth. Leningrad 1959

c. Zur geistigen Gestalt

SCHAEFER, FRIEDRICH: G. C. Lichtenberg als Psychologe und Menschenkenner. Eine kritische Untersuchung und ein Versuch zur Grundlegung einer empirischen Charakterpsychologie. Diss. Jena 1898

LÖWENBERG, R. D.: Lichtenberg als Psychologe. In: Zeitschrift für die gesamte Neurologie und Psychiatrie, Bd. 130—132, 1930

LÖWENBERG, R. D.: Lichtenberg. Ein Charakterologe des 18. Jahrhunderts. In: Medizinische Welt 1932

SCHNEIDER, ALBERT: Lichtenberg ethnopsychologue. In: Revue de Psychologie des Peuples, 1955

SCHELLER, WILL: Lichtenbergs Traumdeutungen. In: Die Spinnstube XIV, 1926

BÉGUIN, ALBERT: La Chandelle Allumée. G. C. Lichtenberg. In: L'âme romantique et le rêve. I. Paris 1937

SAITSCHIK, ROBERT: Deutsche Skeptiker: Lichtenberg, Nietzsche. Zur Psychologie des neueren Individualismus. Berlin 1906

DINKGRAEVE, G.: Über Lichtenbergs Skeptizismus. In: Die Grenzboten LXIX, 1910

HENTZSCHEL, O.: Lichtenbergs Lebensanschauung. Diss. Leipzig 1910

SCHAPIRA, EVA: Lichtenberg als Philosoph. Diss. Bern 1911

MATZ, W.: Lichtenbergs Verhältnis zur Sprachphilosophie. Berlin 1913

WRIGHT, G. H.: G. C. Lichtenberg als Philosoph. In: Theoria VIII, 1942

NEUMANN, ARNO: Lichtenberg als Philosoph und seine Beziehungen zu Kant. In: Kantstudien IV, 1900

DOSTAL-WINKLER, JOSEF: Lichtenberg und Kant. Problemgeschichtliche Studien. München 1924

HAAR, KÄTHE: Der Einfluß Montaignes auf Lichtenberg. Diss. Prag — Auszug in: Jb. der Philosophischen Fakultät. Prag 1925—1926

SCHNEIDER, ALBERT: Les méthodes d'invention de Lichtenberg et de Valéry. In: Annales Unversitatis Saraviensis Nr. 1, 1952

EBSTEIN, ERICH: Lichtenberg als Naturforscher. In: Archiv für die Geschichte der Naturwissenschaften und Technik, IV, 1912—1913

HAHN, PAUL: Lichtenbergs Stellung in der Physik des 18. Jahrhunderts. In: Jahresberichte der schlesischen Gesellschaft für vaterländische Kultur. 99. Bericht, 1926

PRZIBRAM, KARL: Lichtenberg als Physiker. In: Die Naturwissenschaften 15, Jg. 1927

PRZIBRAM, KARL: 150 Jahre Lichtenbergsche Figuren. In: Geiger-Scheels Handbuch der Physik 14. Berlin 1927

NEUGEBAUER, F.: Lichtenberg und die exakten Wissenschaften. In: Archiv für die Geschichte der Naturwissenschaften und Technik 1928

POHL, ROBERT: G. C. Lichtenberg als Physiker. In: Sonderbeilage der Göttinger Nachrichten, 25. Juni 1937

PUPKE, HERBERT: G. C. Lichtenberg als Naturforscher. In: Naturwissenschaften 30, 1942

RICHTER, L.: G. C. Lichtenberg, Physiker und Menschenkenner. In: Der Start, Nr. 3, Jg. 2, 1947

HAHN, PAUL: Lichtenberg und die Experimentalphysik. In: Zeitschrift für physik.-chem. Unterricht 56, 1943

MAUTNER, FRANZ HEINRICH, und F. MILLER: Remarks on G. C. Lichtenberg humanist-scientist. In: Isis XLIII, Nr. 3, 1952

GÜNTHER, SIEGMUND: Lichtenberg und die Geophysik. In: Abhandlungen der k. k. geographischen Gesellschaft Bd. I, 1899

FISCHER, F. P.: Über Lichtenbergs Anteil an der Ophthalmologie seiner Zeit. In: Gesnerus V, 1948

HERMANN, DIETER: G. C. Lichtenbergs Beziehungen zur Astronomie. In: Mitteilungen der Archenhold-Sternwarte Nr. 61, 1962

HOLTZ, WILHELM: Über die Lichtenbergschen Figuren und ihre Entstehung. In: Physikalische Zeitschrift 6, 1905 und 7, 1906

FIERZ, MARKUS: Die Entwicklung der Elektrizitätslehre als Beispiel der physikalischen Theorienbildung. In: Rektoratsprogramm der Universität Basel für die Jahre 1950 und 1951. Basel 1951

STEKOLNIKOF, J., und K. RIASCHENZEF: Bildung der Lichtenbergschen Figuren unter vermindertem Druck. In: Archiv für Elektrotechnik Bd. 26, 1932

ETINGER, S.: Über die positiven Lichtenbergschen Figuren. In: Physikalische Zeitschrift Jg. 34, 1933

HIPPEL, ARTUR VON, und F. W. MERRILL: Atomphysical interpretation of Lichtenberg figures and their application to the study of gas discharge phenomena. In: Journal for application physics 10, 1939

KNOERZER, G., und W. KOSSEL: Zweipolige Lichtenberg-Figuren. In: Die Naturwissenschaften, Bd. 37, 1950

SUSEBACH, E.: Über den ersten Blitzableiter in Göttingen. In: Protokoll über die Sitzungen der Vereins für die Geschichte Göttingens III, Nr. 2, 1914

KLUGE, H.: Die pädagogischen Gedanken Lichtenbergs. In: Jahrbuch des Vereins für wissenschaftliche Pädagogik, Bd. 44, 1912

ØKSENHOLT, SVEIN: Educational theories in the works of G. C. Lichtenberg. Diss. Los Angeles 1959

KLEINEIBST, RICHARD: G. C. Lichtenberg in seiner Stellung zur deutschen Literatur. In: Freie Forschungen zur deutschen Literaturgeschichte. Straßburg 1915

SECKEL, D.: Lichtenberg als Philologe. In: Deutsche Zukunft II, Berlin 1936

MAUTNER, FRANZ HEINRICH: Lichtenbergs Anfänge in ihren Wesenszügen. In: PMLA XLVI 1941

RIPPMANN, GEORG: Werk und Fragment. G. C. Lichtenberg als Schriftsteller. In: Basler Studien 13, 1953
    rez: FRANZ HEINRICH MAUTNER in: Journal of English and Germanic Philology 54, 1956

SPALDING, K.: Lichtenberg's use of ‹Heim›-compounds. In: Modern Language Review 51, 1956

DOMKE, MARTIN: Meine Lichtenberg-Sammlung. In: Philobiblon H. 8, Jg. IV, 1931

BOCKWITZ, H.: Lichtenberg als Bücherfreund. In: Archiv für Buchgewerbe, Jg. 79, 1942

D'ESTER, KARL: Lichtenberg und die Presse. In: Zeitungswissenschaft, 1942

FABIAN, ROSEMARIE: Lichtenberg als Publizist und Journalist. Diss. Freiburg i. B. 1946

BETZ, GOTTLIEB: Lichtenberg as a critic of the English stage. In: Journal of English and Germanic Philology XXIII, 1924

POHL, HERBERT: Lichtenberg und die englische Dichtung. Studien über die Beziehungen der deutschen Literatur zur englischen des 18. Jahrhunderts. Diss. Wien 1950

MEYER, R. M.: Swift und Lichtenberg. Zwei Satiriker des 18. Jahrhunderts. Berlin 1886

GUTHKE, KARL S.: Lichtenbergs Shakespeare-Auffassung. In: Shakespeare-Jahrbuch 96, 1960

HECHLER, ILSE: Lichtenberg und zwei andre Darmstädter. In: Literaturblatt der Frankfurter Zeitung, 6. Juni 1942

SCHLIMBACH, ALICE: Lichtenberg im Spiegel seiner kritischen Äußerungen über Klopstock. Diss. [Ausz.] New York 1944
    rez: J. D. WORKMAN in: Monatshefte für den deutschen Unterricht, Nr. 38, 1946

WORKMAN, J. D.: Lichtenberg's Irrationalism. In: Monatshefte für den deutschen Unterricht, Nr. 5, 1947

SCHNEIDER, ALBERT: Présentation de Lichtenberg, Précurseur du Romantisme. In: Annales de l'Université de Paris, Nr. 4, 1951

SCHWARZ, E.: Rationalism and irrationalism in Lichtenberg as seen in his attitude toward national and racial problem. Diss. University of Washington 1954

EBSTEIN, ERICH: Lichtenberg und Jean Paul in ihren wechselseitigen Beziehungen. In: Die Spinnstube Nr. 49, 1925

SCHNEIDER, ALBERT: Le double Prince. Un important emprunt de ETA Hoffmann à G. C. Lichtenberg. In: Annales Universitatis Saraviensis Nr. 4, 1953

REICHEL, EUGEN: Lichtenberg und Goethe. In: Die Gegenwart XXXIV, 1888

LEITZMANN, ALBERT: Beziehungen Goethes mit Lichtenberg. In: Goethe-Jahrbuch, Bd. 18, 1897

EBSTEIN, ERICH: Lichtenberg und Goethe über die Theorie der Farben. In: Archiv für die Geschichte der Naturwissenschaften und Technik, Bd. III, 1910

MATZ, W.: Die Entstehung der Walpurgisnacht. Zugleich ein Beitrag zur Kenntnis der Beziehungen zwischen Goethe und Lichtenberg. In: Zeitschrift für den deutschen Unterricht, Jg. 28, 1914

MATZ, W.: Goethes Verhältnis zu Lichtenberg. In: Germanisch-Romanische Monatsschrift, Jg. VII, 1915

BERENDSOHN, WALTER A.: Lichtenberg und der junge Goethe. In: Euphorion XXIII, 1921

DOMKE, MARTIN: Goethe und Lichtenberg. Leipzig 1925

VOLKMANN, ERNST: Goethe und Lichtenberg im Wandel ihrer Beziehungen. Essen 1942

RÖDEL, WOLFGANG: Forster und Lichtenberg. Ein Beitrag zum Problem deutscher Intelligenz und Französischer Revolution. Germanistische Studien. Berlin 1960

RANTZAU, A. VON: Lichtenberg und die Deutschen. In: Die Zeit Nr. 11, Jg. 3, 1948

HERRE, FRANZ: Lichtenberg in unserer geistigen Situation. In: Augsburger Tagespost Nr. 67, 1949

SCHNEIDER, ALBERT: Was bedeutet uns Lichtenberg?. In: Freude an Büchern, H. 8, Jg. 4, 1953

REQUADT, PAUL: Lichtenbergs geistesgeschichtlicher Ort. In: Der Deutschunterricht H. 2, Jg. 10, 1958

KAESTNER, HEINRICH: Lichtenberg und unsere Zeit: In: Ratio. Frankfurt a. M. 1960

NAMENREGISTER

Die kursiv gesetzten Zahlen bezeichnen die Abbildungen

QUELLENVERZEICHNIS DER ABBILDUNGEN
(Die Ziffern bezeichnen die Buchseiten)